Diogenes Taschenbuch 23030

Susanna Tamaro

Geh, wohin dein Herz dich trägt

Roman
Aus dem
Italienischen von
Maja Pflug

Diogenes

Titel der 1994 bei Baldini & Castoldi,
Mailand, erschienenen Originalausgabe:
›Va' dove ti porta il cuore‹
Copyright © 1994 Baldini & Castoldi, Mailand
Copyright © 1996 Baldini & Castoldi International
Die deutsche Erstausgabe
erschien 1995 im Diogenes Verlag
Umschlagillustration: Vincent van Gogh,
›Blühender Birnbaum‹, 1888
Foto: Copyright © Vincent van Gogh Stiftung/
Van Gogh Museum, Amsterdam

Für Pietro

Veröffentlicht als Diogenes Taschenbuch, 1998
Alle deutschen Rechte vorbehalten
Copyright © 1995
Diogenes Verlag AG Zürich
500/98/8/2
ISBN 3 257 23030 3

Oh Shiva, was ist deine Wirklichkeit?
Was ist dieses Universum voller Staunen?
Was bildet den Kern?
Wer lenkt das Rad des Universums?
Was ist dieses Leben jenseits der Form,
das die Formen durchdringt?
Wie können wir über Zeit und Raum, Namen und
äußere Merkmale hinaus Zugang dazu finden?
Erhelle meine Zweifel!

Aus einem heiligen Text
des kaschmirischen Shivaismus

Du bist vor zwei Monaten abgereist, und seit zwei Monaten habe ich, abgesehen von einer Postkarte, auf der du mir mitteilst, daß du noch lebst, keine Nachricht von dir. Heute morgen bin ich im Garten lange vor deiner Rose stehengeblieben. Obgleich es schon Spätherbst ist, hebt sie sich mit ihrem Purpurrot noch einsam und eitel von den anderen Pflanzen ab, die längst die Farbe verloren haben. Weißt du noch, wie wir sie gepflanzt haben? Du warst zehn Jahre alt und hattest gerade *Der kleine Prinz* gelesen. Ich hatte ihn dir als Belohnung für deine Versetzung geschenkt. Du warst von der Geschichte begeistert. Am liebsten von allen Gestalten hattest du die Rose und den Fuchs; den Affenbrotbaum, die Schlange, den Piloten und all die beschränkten, eingebildeten Menschen, die auf ihren winzigen Planeten sitzend durchs All schwebten, mochtest du dagegen nicht. So sagtest du eines Morgens beim Frühstück: »Ich will eine Rose.« Auf meinen Einwand, wir hätten doch schon so viele Rosenstöcke, hast du geantwortet: »Ich will eine, die nur mir gehört, ich will sie pflegen, sie großziehen.« Natürlich wolltest du außer der Rose auch einen Fuchs. Mit der Schlauheit der Kinder hattest du den einfachen Wunsch vor dem fast unerfüllbaren geäußert. Wie sollte ich dir den Fuchs abschlagen können, nachdem ich dir die Rose zugestanden hatte? Darüber haben wir lange gestritten und uns schließlich auf einen Hund geeinigt.

In der Nacht, bevor wir ihn holten, hast du kein Auge zugetan. Alle halbe Stunde hast du an meine Tür geklopft und gesagt: »Ich kann nicht schlafen.« Morgens um sieben warst du schon mit dem Frühstück fertig, gewaschen und angezogen; im Mantel bist du im Sessel gesessen und hast auf mich gewartet. Um halb neun standen wir vor dem Eingang des Tierheims, es war noch zu. Zwischen den Gittern hindurchspähend, sagtest du: »Woran werde ich merken, welcher genau der Richtige für mich ist?« Große Besorgnis lag in deiner Stimme. Ich beruhigte dich. »Mach dir keine Sorgen«, sagte ich, »denk daran, wie der Kleine Prinz den Fuchs gezähmt hat.«

Drei Tage lang gingen wir immer wieder hin. Es gab mehr als zweihundert Hunde dort drinnen, und du wolltest sie alle sehen. Du bliebst vor jedem Käfig stehen, regungslos und scheinbar unbeteiligt, in Gedanken versunken. Die Hunde warfen sich alle gegen das Gitter, bellten, sprangen hoch und versuchten, mit den Pfoten den Maschendraht zu zerreißen. Eine Wärterin des Tierheims begleitete uns. Da sie dich für ein kleines Mädchen wie alle anderen hielt, zeigte sie dir, um dich zu verlocken, die schönsten Tiere: »Schau den Cockerspaniel«, sagte sie. Oder: »Was hältst du von dem Lassie dort?« Als einzige Antwort gabst du eine Art Grunzen von dir und gingst weiter, ohne ihr zuzuhören.

Buck haben wir am dritten Tag dieses Leidenswegs gefunden. Er befand sich in einer der Boxen auf der Rückseite, wo die kranken Hunde untergebracht wurden. Als wir ans Gitter traten, sprang er uns nicht mit allen anderen entgegen, sondern blieb auf seinem Platz sitzen und hob nicht einmal den Kopf. »Den«, hast du gerufen und auf ihn gezeigt. »Den da will ich!« Erinnerst du dich noch an das entsetzte Gesicht der Frau? Sie konnte einfach nicht begreifen, wieso du ausgerechnet diesen häßlichen Köter mitnehmen wolltest. Denn Buck war zwar ein kleiner Hund, aber in seiner Kleinheit mischten sich fast alle Rassen der Welt. Er hatte den Kopf eines Schäferhundes, die weichen Schlappohren eines Jagdhundes, die krummen Beine eines Dackels, einen buschigen Schwanz wie ein Spitz und das schwarze glatte Fell eines Dobermanns. Als wir ins Büro gingen, um die Papiere zu unterschreiben, erzählte uns die Angestellte seine Geschichte: Er war zu Beginn des Sommers aus einem fahrenden Auto geworfen worden. Beim Fall hatte er sich schwer verletzt, und seitdem hing eines der Hinterbeine wie leblos herab.

Buck sitzt jetzt hier neben mir. Während ich schreibe, seufzt er ab und zu und stupst mich mit der Nasenspitze am Bein. Die Schnauze und die Ohren sind mittlerweile fast ergraut, und über seine Augen hat sich seit einiger Zeit jener Schleier gelegt, der immer die Augen alter Hunde trübt. Es rührt mich, wenn ich ihn ansehe. Es ist, als hätte ich einen Teil von dir hier neben mir, den Teil, den ich am meisten liebe, den, der dich vor so vielen Jahren unter den zweihundert Insassen im Tierheim den unglücklichsten und häßlichsten auswählen ließ.

Seit ich ziellos durch die Einsamkeit des Hauses wandere, sind die Jahre, in denen unser Zusammenleben von Unverständnis und schlechter Laune geprägt war, wie ausgelöscht. Die Erinnerungen, die mich in diesen Monaten umgeben, sind die Erinnerungen an dich als Kind, als verletzliches, ausgesetztes kleines Tierchen. An dieses Kind schreibe ich, nicht an die gepanzerte überhebliche Person der letzten Zeit. Die Rose hat mich dazu angeregt. Heute morgen, als ich an ihr vorbeiging, hat sie mir zugeflüstert: »Setz dich hin und schreib ihr einen Brief.« Ich weiß, daß wir bei deiner Abreise unter anderem vereinbart haben, wir würden uns nicht schreiben, und schweren Herzens halte ich mich daran. Diese Zeilen werden nie den Flug nach Amerika antreten, um zu dir zu kommen. Wenn ich bei deiner Rückkehr nicht mehr da sein sollte, werden sie hier auf dich warten. Warum ich das sage? Weil ich vor weniger als einem Monat zum ersten Mal in meinem Leben schwer krank gewesen bin. So weiß ich jetzt, daß es unter allen Möglichkeiten auch diese gibt: In sechs oder sieben Monaten könnte ich nicht mehr hier sein, um dir die Türe zu öffnen und dich zu umarmen. Eine Freundin sagte vor einiger Zeit, daß bei Menschen, die nie krank waren, die Krankheit plötzlich und heftig auftritt, wenn sie dann kommt. Genau so ist es bei mir gewesen: Eines Morgens, während ich die Rose goß, hat auf einmal jemand das Licht ausgeknipst. Wenn Frau Razman mich nicht durch den Zaun gesehen hätte, der unsere Gärten voneinander trennt, wärst du jetzt höchstwahrscheinlich Waise. Waise? Sagt man das, wenn eine Großmutter stirbt? Ich bin mir nicht sicher. Vielleicht werden Großeltern als etwas so Nebensächliches betrachtet, daß man kein besonderes Wort braucht, um ihren Verlust zu bezeichnen. Nach ihrem Tod ist man weder Waise noch verwitwet. Man läßt sie wie selbstverständlich am Wegrand zurück, so wie man unterwegs zerstreut einen Regenschirm liegenläßt.

Als ich im Krankenhaus aufwachte, erinnerte ich mich an nichts mehr. Mit noch geschlossenen Augen hatte ich das Gefühl, mir wäre ein langer, schmaler, zweigeteilter Schnurrbart gewachsen, ähnlich wie die Schnurrhaare einer Katze. Als ich die Augen aufschlug, wurde mir klar, daß es sich um zwei dünne Plastikschläuche handelte; sie kamen aus meiner Nase und liefen die Lippen entlang. Um mich herum standen überall seltsame Apparate. Nach einigen Tagen wurde ich in ein normales Zimmer verlegt, in dem schon zwei andere Personen lagen. Dort besuchte mich dann eines Nachmittags Herr Razman mit seiner Frau. »Daß Sie noch leben«, sagte er zu mir, »verdanken Sie Ihrem Hund, der wie verrückt gebellt hat.«

Als ich schon wieder aufstehen konnte, kam ein junger Arzt ins Zimmer, den ich auch mehrmals während der Visite gesehen hatte. Er nahm einen Stuhl und setzte sich an mein Bett. »Da Sie keine Verwandten haben, die für Sie sorgen und entscheiden können«, sagte er, »werde ich ohne Vermittlung eines Dritten offen mit Ihnen selbst reden müssen.« Ich sah ihm mehr zu, während er sprach, als daß ich ihm zuhörte. Er hatte schmale Lippen, und wie du weißt, haben mir Menschen mit schmalen Lippen noch nie gefallen. Seinen Worten zufolge war mein Gesundheitszustand so ernst, daß er mir nicht erlaubte, nach Hause zurückzukehren. Er nannte mir zwei oder drei Einrichtungen mit Pflegeabteilung, in die ich hätte gehen können. An meinem Gesichtsausdruck muß er mir etwas angesehen haben, denn er fügte sofort hinzu: »Denken Sie nicht an die Altersheime von früher, heute ist alles anders, die Zimmer sind hell, und rundherum gibt es große Parks, in denen man spazierengehen kann.« – »Herr Doktor«, habe ich daraufhin zu ihm gesagt, »kennen Sie die Eskimos?« – »Natürlich«, antwortete er, während er aufstand. »Nun, sehen Sie, so will ich sterben«, und da er nicht zu verstehen schien, habe ich hinzugefügt: »Ich falle lieber mit dem Gesicht nach unten zwischen die Zucchini in meinem Garten, als daß ich in einem Zimmer mit weißen Wänden noch ein Jahr lang ans Bett gefesselt lebe.« Aber da war er schon an der Tür. Er lächelte bösartig: »So reden viele«, sagte er, bevor er verschwand, »doch im letzten Moment kommen sie alle angerannt, um sich behandeln zu lassen, und zittern wie Espenlaub.«

Drei Tage später unterschrieb ich ein lächerliches Formular, in dem ich erklärte, daß ich, ich allein, die Verantwortung dafür trüge, falls ich demnächst sterben sollte. Das übergab ich einer jungen Krankenschwester mit kleinem Kopf und riesigen goldenen Ohrringen, und dann machte ich mich mit meinen wenigen, in einer Plastiktüte verstauten Habseligkeiten auf den Weg zum Taxistand.

Kaum sah Buck mich am Gartentor auftauchen, fing er an, wie ein Verrückter im Kreis herumzuspringen; danach verwüstete er noch, um seine Freude zu betonen, bellend zwei oder drei Blumenbeete. Diesmal hatte ich nicht das Herz, ihn auszuschimpfen. Als er mit erdverschmierter Schnauze auf mich zukam, habe ich zu ihm gesagt: »Siehst du, mein Alter, wir sind wieder beisammen!« und ihn hinter den Ohren gekrault.

In den folgenden Tagen habe ich wenig bis gar nichts getan. Seit dem Unfall gehorcht die linke Körperhälfte meinen Befehlen nicht mehr wie früher. Vor allem die Hand ist sehr langsam geworden. Da es mich wütend macht, daß sie über mich siegt, tue ich alles, um sie mehr zu benutzen als die andere. Ich habe mir eine rote Schleife ums Handgelenk gebunden, damit ich mich jedesmal, wenn ich etwas in die Hand nehmen muß, daran erinnere, statt der Rechten die Linke zu benutzen. Solange der Körper funktioniert, macht man sich nicht klar, welch großer Feind er sein kann; wenn man nur einen einzigen Augenblick den Willen, ihm zu trotzen, aufgibt, ist man schon verloren.

Für alle Fälle habe ich, angesichts meiner eingeschränkten Bewegungsfreiheit, Walters Frau einen zweiten Schlüssel gegeben. Sie kommt jeden Tag vorbei und bringt mir alles, was ich brauche.

Während ich zwischen Haus und Garten umhergehe, begleitet mich der Gedanke an dich unablässig, ich bin wie besessen. Mehrere Male habe ich schon vor dem Telefon gestanden und den Hörer abgenommen, um ein Telegramm an dich aufzugeben. Doch kaum antwortete die Zentrale, habe ich jedesmal wieder aufgelegt. Abends, wenn ich im Sessel saß – vor mir Leere und rundherum Stille –, fragte ich mich, was besser wäre. Für dich natürlich, nicht für mich. Für mich wäre es viel schöner, wegzugehen, wenn du bei mir wärst. Ich bin sicher, daß du deinen Aufenthalt in Amerika abgebrochen hättest, wenn ich dich von meiner Krankheit unterrichtet hätte, und hierher geeilt wärest. Und dann? Dann hätte ich womöglich noch drei oder vier Jahre zu leben, vielleicht im Rollstuhl, vielleicht halb schwachsinnig, und du würdest mich aus Pflichtgefühl pflegen. Du tätest es mit Hingabe, aber mit der Zeit würde die Hingabe sich in Wut verwandeln, in Groll. In Groll, weil die Jahre verstreichen würden und du deine Jugend vergeudet hättest; weil meine Liebe wie ein Bumerang gewirkt, dein Leben in eine Sackgasse gezwungen hätte. Das sagte die Stimme in mir, die dich nicht anrufen wollte. Kaum beschloß ich, daß sie recht hatte, meldete sich in meinem Geist eine Gegenstimme. Wie würde es dir ergehen, fragte ich mich, wenn dir beim Aufschließen der Tür nicht ich und Buck freudig entgegenkämen, sondern du das Haus leer, schon lange unbewohnt vorfändest? Gibt es etwas Schrecklicheres als eine Rückkehr, die nicht gelingt? Würde es dir etwa nicht wie eine Art Verrat vorkommen, wenn du dort drüben ein Telegramm mit der Nachricht meines Ablebens erhieltest? Wie eine Bosheit? Da du in den letzten Monaten sehr ruppig zu mir warst, würdest du denken, bestrafte ich dich, indem ich fortging, ohne dir Bescheid zu sagen. Das wäre kein Bumerang, sondern ein Abgrund, ich glaube, es ist fast unmöglich, so etwas zu überleben. Das, was du dem geliebten Menschen noch hättest sagen müssen, bleibt für immer in dir; er liegt dort unter der Erde, und du kannst ihm nicht mehr in die Augen schauen, ihn nicht mehr umarmen, nicht mehr sagen, was du ihm noch nicht gesagt hattest.

Die Tage vergingen und ich kam zu keiner Entscheidung. Dann, heute morgen, der Vorschlag der Rose. Schreib ihr einen Brief, ein kleines Tagebuch über dein jetziges Leben, das ihr bleibt. Und so sitze ich nun hier in der Küche, mit einem alten Heft von dir vor mir, und kaue auf dem Stift herum wie ein Kind, das Schwierigkeiten bei seinen Hausaufgaben hat. Ein Testament? Nicht eigentlich, eher etwas, das dich durch die Jahre begleiten soll, etwas, worin du immer lesen kannst, wenn du das Bedürfnis empfindest, mich bei dir zu haben. Fürchte dich nicht, ich will dir weder eine Predigt halten, noch dich traurig machen, sondern nur ein wenig plaudern, mit dem Gefühl der Nähe, die uns einmal verband und die in den letzten Jahren verlorengegangen ist. Da ich lange gelebt habe und von vielen Menschen zurückgelassen wurde, weiß ich unterdessen, daß die Toten einen nicht durch ihre Abwesenheit belasten, sondern durch das, was – zwischen ihnen und uns – nicht ausgesprochen wurde.

Schau, ich mußte plötzlich in fortgeschrittenem Alter Mutterstelle an dir vertreten, in einem Alter, in dem man für gewöhnlich nur Großelternpflichten hat. Das hatte viele Vorteile. Vorteile für dich, weil eine Großmutter als Mutter immer aufmerksamer und gütiger ist als eine Mutter als Mutter, und Vorteile für mich, weil ich mit Gewalt wieder in den Strom des Lebens hineingerissen wurde, anstatt wie meine Altersgenossinnen zwischen einer Partie Canasta und einer Nachmittagsvorstellung im Theater zu verblöden. An einem gewissen Punkt ist jedoch etwas zerbrochen. Schuld waren weder du noch ich, sondern einzig und allein die Naturgesetze.

Kindheit und Alter gleichen sich. In beiden Fällen ist man, aus unterschiedlichen Gründen, recht ungeschützt, man nimmt noch nicht – oder nicht mehr – am aktiven Leben teil, und kann für alles uneingeschränkt offen und empfänglich sein. Während der Pubertät beginnt sich dann ein unsichtbarer Panzer um unseren Körper zu legen. Er bildet sich während der Pubertät und wird während des gesamten Erwachsenenlebens immer dicker.

Mit seinem Wachstum verhält es sich ähnlich wie bei den Perlen, je größer und tiefer die Verletzung, um so stärker ist der Panzer, der sich darum entwickelt. Im Lauf der Zeit jedoch nutzt er sich dann an den am stärksten strapazierten Stellen allmählich ab wie ein Kleid, das man zu lange getragen hat, wird fadenscheinig, bekommt bei einer schroffen Bewegung unvermutet einen Riß. Anfangs bemerkst du es gar nicht, du bist überzeugt, daß der Panzer dich noch völlig umgibt, bis du eines Tages auf einmal wegen irgendeiner Dummheit in Tränen ausbrichst wie ein Kind, ohne zu wissen, warum.

Wenn ich sage, daß sich zwischen dir und mir naturgemäß eine Kluft aufgetan hat, meine ich genau das. Zu der Zeit, als dein Panzer sich zu bilden anfing, war meiner schon in Fetzen. Du konntest meine Tränen nicht ertragen, und ich konnte deine plötzliche Härte nicht ertragen. Obgleich ich darauf vorbereitet war, daß sich mit der Pubertät dein Charakter verändern würde, fiel es mir doch sehr schwer, die Veränderung zu ertragen, als sie eingetreten war. Plötzlich hatte ich eine neue Person vor mir, und ich wußte nicht mehr, wie ich diese Person nehmen sollte. Abends, im Bett, wenn ich meine Gedanken sammelte, war ich glücklich über das, was dir passierte. Ich sagte mir, wer die Pubertät unversehrt durchlebt, wird nie wirklich groß. Am Morgen jedoch, wenn du mir die erste Tür vor der Nase zuschlugst, hätte ich nur noch heulen können! Es gelang mir einfach nicht, die Kraft zu finden, um dir die Stirn zu bieten. Falls du je achtzig Jahre alt werden solltest, wirst du verstehen, daß man sich in diesem Alter fühlt wie die Blätter Ende September. Die Tage werden kürzer, und der Baum fängt langsam an, die Nährstoffe abzuziehen. Stickstoff, Chlorophyll und Proteine werden vom Stamm aufgesogen, und mit ihnen gehen auch das Grün und die Elastizität dahin. Man hängt zwar noch dort oben, aber man weiß, daß es nur eine Frage der Zeit ist. Nacheinander fallen die Blätter in deiner Nähe herab, du siehst ihnen beim Fallen zu und lebst in der Angst, es könnte ein Wind aufkommen. Für mich warst du der Wind, die streitsüchtige Lebenskraft deiner Pubertät. Ist dir das nie klargeworden, mein Schatz? Wir haben am selben Baum gelebt, aber zu allzu verschiedenen Jahreszeiten.

Der Tag deiner Abreise kommt mir in den Sinn, wie nervös wir beide waren! Du wolltest nicht, daß ich dich zum Flughafen begleite, und immer, wenn ich dich an etwas erinnerte, was du nicht vergessen solltest, gabst du mir zur Antwort: »Ich gehe nach Amerika und nicht in die Wüste!« Und an der Tür, als ich dir mit grauenhaft schriller Stimme nachrief: »Gib auf dich acht!«, hast du, ohne dich auch nur umzudrehen, zum Abschied zu mir gesagt: »Gib du auf Buck und die Rose acht.«

Im ersten Moment war ich etwas enttäuscht von diesem Abschied, weißt du. Als sentimentale alte Frau erwartete ich mir etwas anderes, Banaleres, etwa einen Kuß oder einen liebevollen Satz. Erst am Abend, als ich, da ich nicht einschlafen konnte, im Morgenrock durch das leere Haus geisterte, wurde mir klar, daß auf Buck und die Rose aufzupassen bedeutete, für den Teil von dir zu sorgen, der weiterhin bei mir lebt, der glückliche Teil von dir. Und mir wurde auch klar, daß sich in der Schroffheit jenes Befehls nicht Empfindungslosigkeit ausdrückte, sondern die äußerste Anspannung einer Person, die sonst gleich zu weinen anfängt. Es ist der Panzer, von dem ich vorher sprach. Deiner ist noch so eng, daß du fast keine Luft bekommst. Weißt du noch, was ich in der letzten Zeit zu dir sagte? Die Tränen, die nicht heraus können, lagern sich auf dem Herzen ab, nach und nach bilden sie eine Kruste und legen es lahm, wie der abgelagerte Kalk mit der Zeit den Mechanismus einer Waschmaschine lahmlegt.

Ich weiß, über meine Beispiele aus dem Reich der Küche kannst du nicht lachen, sondern nur die Nase rümpfen. Laß es gut sein: Jeder empfängt Anstöße aus der Welt, die er am besten kennt.

Nun muß ich dich verlassen. Buck seufzt und schaut mich mit flehenden Augen an. Auch an ihm erweist sich die Regelmäßigkeit der Natur. Wann Fressenszeit ist, weiß er zu allen Jahreszeiten mit der Pünktlichkeit einer Schweizer Uhr.

Heute nacht hat es stark geregnet. So heftig, daß ich mehrmals aufgewacht bin von dem Geräusch des Regens, der an die Fensterläden trommelte. Heute früh bin ich noch lange liegengeblieben, nachdem ich die Augen geöffnet hatte, denn ich war überzeugt, das Wetter sei immer noch schlecht. Wie sich die Dinge doch mit den Jahren ändern! In deinem Alter schlief ich wie ein Murmeltier – wenn mich niemand störte, konnte ich leicht bis zur Mittagszeit durchschlafen. Jetzt dagegen wache ich immer vor Sonnenaufgang auf. So werden die Tage unendlich lang. Es hat etwas Grausames an sich, findest du nicht? Die Morgenstunden sind sowieso die schrecklichsten, nichts hilft einem, sich abzulenken, man liegt da und weiß, daß die eigenen Gedanken nur noch zurückwandern können. Die Gedanken eines alten Menschen haben keine Zukunft, sie sind meistens traurig, und wenn nicht traurig, melancholisch. Diese seltsame Laune der Natur hat mich schon oft beschäftigt. Vor einigen Tagen habe ich einen Dokumentarfilm im Fernsehen gesehen, der mich nachdenklich gestimmt hat. Es ging um die Träume von Tieren. In der Tierwelt träumen, von den Vögeln aufwärts, alle viel. Die Meisen und die Tauben träumen, die Eichhörnchen und die Kaninchen, die Hunde und die Kühe auf der Weide. Sie träumen, aber nicht alle auf die gleiche Art. Die Tiere, die ihrer Natur gemäß vor allem gefressen werden, haben kurze Träume, mehr denn echte Träume sind es Bilder. Die

Raubtiere dagegen haben komplizierte und lange Träume. »Für die Tiere«, sagte der Sprecher, »ist Träumen eine Art und Weise, die Überlebensstrategien auszuarbeiten; diejenigen, die auf die Jagd gehen, müssen immer neue Formen erfinden, um sich Nahrung zu besorgen, und diejenigen, die gejagt werden – sie haben ihre Nahrung normalerweise in Form von Gras stets vor sich –, haben nur eine Sorge: wie sie am schnellsten fliehen können.« Kurz und gut, die Antilope sieht im Schlaf die weite Savanne vor sich; der Löwe dagegen sieht in einem ständigen Wechsel verschiedener Szenen all die Dinge, die er tun muß, damit es ihm gelingt, die Antilope zu fressen. So muß es sein, habe ich mir daraufhin gesagt: Wenn man jung ist, ist man ein Fleischfresser, im Alter wird man zum Pflanzenfresser. Denn man schläft nicht nur wenig, wenn man alt ist, man träumt auch nicht, oder falls doch, kann man sich hinterher nicht daran erinnern. Als Kind und als Heranwachsende dagegen träumt man mehr, und die Träume beeinflussen entscheidend die Stimmung des Tages. Weißt du noch, wie du in den letzten Monaten nach dem Aufwachen immer geweint hast? Du bist vor deiner Kaffeetasse gesessen und die Tränen liefen dir still die Wangen hinunter. »Warum weinst du?« fragte ich dich dann, und du sagtest, untröstlich oder wütend: »Ich weiß nicht.« In deinem Alter hat man innerlich so viel in Ordnung zu bringen, man hat Pläne, und diese Pläne bergen Unsicherheiten. Das Unbewußte kennt keine Ordnung oder eindeutige Logik, die tiefsten Sehnsüchte mischen sich darin mit übergroß gewordenen, verzerrten Tagesresten, und zwischen den tiefen Sehnsüchten tauchen körperliche Bedürfnisse auf. So träumt einer, der Hunger hat, er sitze am gedeckten Tisch und könne nichts essen, einer, der friert, er sei am Nordpol und habe keinen Mantel, und einer, der eine Unhöflichkeit erdulden mußte, wird zum blutrünstigen Krieger.

Was du wohl dort zwischen Kakteen und Cowboys für Träume hast? Das wüßte ich gern. Wer weiß, ob ich, womöglich als Rothaut verkleidet, auch manchmal darin auftauche? Wer weiß, ob Buck in Gestalt eines Kojoten darin vorkommt? Hast du Heimweh? Denkst du an uns?

Gestern abend, während ich im Sessel saß und las, hörte ich plötzlich ein rhythmisches Geräusch im Zimmer, und als ich den Kopf vom Buch hob, sah ich Buck, der im Schlaf mit dem Schwanz auf den Boden klopfte. Weißt du, nach seinem seligen Ausdruck bin ich sicher, daß er dich vor sich sah, vielleicht warst du gerade zurückgekehrt, und er begrüßte dich voll Freude, oder er erinnerte sich an einen besonders schönen Spaziergang, den ihr zusammen unternommen habt. Hunde sind so empfänglich für menschliche Gefühle, durch das jahrhundertelange Zusammenleben sind wir fast gleich geworden. Deshalb werden sie von so vielen Leuten gehaßt. Die sehen in ihren rührend unterwürfigen Augen zu viele Dinge von sich selbst gespiegelt. Dinge, die sie lieber nicht wissen möchten. Buck träumt zur Zeit oft von dir. Mir gelingt es nicht, oder vielleicht kann ich mich nicht daran erinnern.

Als ich klein war, wohnte eine Zeitlang eine Schwester meines Vaters, die kurz davor Witwe geworden war, bei uns. Sie war eine leidenschaftliche Anhängerin des Spiritismus, und sowie meine Eltern uns nicht sahen, unterrichtete sie mich in den dunkelsten, verborgensten Winkeln über die außergewöhnlichen Mächte des Geistes. »Wenn du mit einem fernen Menschen in Kontakt treten willst«, sagte sie zu mir, »mußt du ein Bild von ihm in die Hand nehmen, ein aus drei Schritten bestehendes Kreuz machen und dann sagen: Da bin ich!« Auf diese Weise, meinte sie, würde man eine telepathische Verbindung zu der gewünschten Person herstellen können.

Heute nachmittag, bevor ich zu schreiben begann, habe ich genau das getan. Es war etwa fünf Uhr, bei dir muß es Vormittag gewesen sein. Hast du mich gesehen? Gehört? Ich habe dich flüchtig in einem jener gekachelten Lokale voller Lichter gesehen, in denen man diese Brötchen mit Hackfleisch drin ißt, ich habe dich sofort in der buntgemischten Menge erkannt, weil du den letzten Pullover anhattest, den ich dir gestrickt habe, den mit den roten und blauen Hirschen. Das Bild war aber so kurz, so wie aus einem Fernsehfilm, daß ich keine Zeit hatte, den Ausdruck deiner Augen zu sehen. Bist du glücklich? Das ist es, was mir vor allem anderen am Herzen liegt.

Weißt du noch, wie lange wir diskutiert haben, um zu entscheiden, ob es richtig sei oder nicht, daß ich dir diesen langen Studienaufenthalt im Ausland ermögliche? Du behauptetest, es sei für dich unbedingt nötig fortzugehen, denn um erwachsen zu werden und deinen geistigen Horizont zu erweitern, müßtest du heraus aus dem erstickenden Milieu, in dem du aufgewachsen seist. Du hattest kaum das Gymnasium beendet und tapptest darüber, was du machen wolltest, wenn du groß wärest, im schwärzesten Dunkeln. Als Kind hattest du viele Vorlieben: Du wolltest Tierarzt werden, Entdecker, Arzt für arme Kinder. Von diesen Wünschen war keine Spur mehr übrig. Die anfängliche Offenheit, die du deinesgleichen gegenüber an den Tag gelegt hattest, war im Lauf der Jahre verschwunden; alles, was Menschenliebe, Wunsch nach Gemeinschaft war, schlug mit einemmal in Zynismus um, in Einsamkeit und unablässige, fast zwanghafte Beschäftigung mit deinem Schicksal. Wenn im Fernsehen eine besonders grausame Nachricht zu sehen war, verlachtest du mich wegen meiner mitfühlenden Worte und sagtest: »Worüber wunderst du dich in deinem Alter noch? Weißt du immer noch nicht, daß die natürliche Auslese die Welt regiert?«

Die ersten Male stockte mir bei solchen Äußerungen der Atem, mir war, als hätte ich ein Ungeheuer neben mir; während ich dich aus dem Augenwinkel beobachtete, fragte ich mich, woher du eigentlich kamst, ob es dies war, was ich dich mit meinem Beispiel gelehrt hatte. Ich habe dir nie darauf geantwortet, ich ahnte, daß die Zeit des Dialogs vorbei war, daß alles, ganz gleich, was ich sagte, nur einen Zusammenstoß herbeiführen würde. Einerseits fürchtete ich mich wegen meiner Zerbrechlichkeit vor dem sinnlosen Kräfteverschleiß, andererseits spürte ich, daß der offene Zusammenstoß genau das war, was du wolltest, daß auf den ersten weitere folgen würden, immer häufiger, immer heftigere. Ich merkte, wie unter deinen Worten die Energie brodelte, eine überhebliche Energie, zum Ausbruch bereit und nur mit Mühe gebändigt; daß ich die Unebenheiten glättete und mit gespielter Gleichgültigkeit auf deine Angriffe reagierte, zwang dich, andere Wege zu suchen.

Du drohtest mir dann, du würdest fortgehen, aus meinem Leben verschwinden, ohne je wieder von dir hören zu lassen. Vielleicht hofftest du auf die Verzweiflung, die demütigen Bitten einer alten Frau. Als ich dir sagte, eine Reise wäre eine ausgezeichnete Idee, kamst du ins Schleudern, du wirktest wie eine Schlange, die mit aufgesperrtem Rachen, zum Zubeißen bereit, ruckartig den Kopf hebt und auf einmal das Opfer, auf das sie sich stürzen wollte, nicht mehr vor sich sieht. Also hast du angefangen zu handeln, Vorschläge zu machen, verschiedene unausgegorene Vorschläge, bis zu dem Tag, an dem du mir mit einer neuen Sicherheit über die Kaffeetasse hinweg verkündet hast: »Ich gehe nach Amerika.«

Ich habe diesen Plan wie die vorherigen mit freundlichem Interesse aufgenommen. Ich wollte dich nicht durch meine Zustimmung dazu verleiten, übereilte Entscheidungen zu treffen, hinter denen du nicht wirklich standest. In den folgenden Wochen hast du immer weiter von dieser Idee gesprochen. »Wenn ich ein Jahr nach Amerika gehe«, wiederholtest du beinahe zwanghaft, »lerne ich wenigstens eine Sprache und vertrödle keine Zeit.« Du hast dich schrecklich aufgeregt, als ich dich darauf aufmerksam machte, daß Zeit vertrödeln nichts Schlimmes sei. Am allerwütendsten bist du jedoch geworden, als ich zu dir sagte, das Leben sei kein Wettlauf, sondern eher wie Scheibenschießen: Nicht die Zeitersparnis zähle, sondern die Fähigkeit, eine Mitte zu finden. Es standen zwei Tassen auf dem Tisch, die du mit deinem Arm weggefegt hast, bevor du zu weinen anfingst. »Du bist dumm«, hast du gesagt und dein Gesicht in den Händen verborgen. »Du bist dumm. Verstehst du nicht, daß ich genau das will?« Wochenlang hatten wir uns benommen wie zwei Soldaten, die, nachdem sie in einem Feld eine Mine vergraben haben, aufpassen, daß sie nicht darauf treten. Wir wußten, wo sie lag, was es war, und hielten uns fern, wobei wir so taten, als sei das, wovor wir uns fürchteten, etwas ganz anderes. Als sie schließlich explodierte und du schluchzend zu mir sagtest: »Du verstehst nichts und wirst auch nie etwas verstehen«, mußte ich mich unglaublich anstrengen, um dich nichts von meiner Ratlosigkeit ahnen zu lassen. Deine Mutter, die Art und Weise, wie sie dich empfangen hat, ihr Tod, über all das habe ich nie mit dir gesprochen, und der Umstand, daß ich darüber schwieg, hat dazu geführt, daß du glaubtest, die Sache sei für mich nicht vorhanden, sei nicht wichtig. Doch deine Mutter war meine Tochter, das hast du vielleicht übersehen. Oder vielleicht auch nicht, aber anstatt darüber zu sprechen, brütest du finstere Gedanken aus, anders kann ich mir manche Blicke, manche haßerfüllten Worte von dir nicht erklären. Du hast keine Erinnerung an sie außer der Leere: An dem Tag, als sie starb, warst du noch zu klein. Ich dagegen bewahre in meinem Gedächtnis dreiunddreißig Jahre Erinnerungen, dreiunddreißig Jahre plus die neun Monate, die ich sie im Bauch getragen habe.

Wie kannst du denken, die Frage ließe mich gleichgültig?

Daß ich das Thema nicht früher angeschnitten habe, beruhte meinerseits nur auf Schamgefühl und auf einer guten Portion Egoismus. Schamgefühl, weil ich unweigerlich, wenn ich von ihr sprach, auch über mich und meine wirkliche oder angebliche Schuld hätte sprechen müssen; Egoismus, weil ich hoffte, meine Liebe sei so groß, daß sie das Fehlen ihrer Liebe wettmachen und dich daran hindern könnte, eines Tages Sehnsucht nach ihr zu bekommen und mich zu fragen: »Wer war meine Mutter? Warum ist sie tot?«

Solange du klein warst, waren wir glücklich miteinander. Du warst ein fröhliches Kind, aber in deiner Freude lag nichts Oberflächliches, Selbstverständliches. Es war eine Freude, hinter der immer der Schatten der Überlegung lauerte, mit überraschender Leichtigkeit gingst du vom Lachen zum Schweigen über. »Was ist los, was denkst du?« fragte ich dich dann, und du, als wäre von deinem Nachmittagsbrot die Rede, gabst mir zur Antwort: »Ich denke, ob der Himmel ein Ende hat oder immer weitergeht.« Ich war stolz darauf, daß du so warst, deine Empfindsamkeit glich meiner, ich fühlte mich nicht groß oder weit weg, sondern wie eine zärtliche Komplizin. Ich tat so, ich wollte so tun, als würde es für immer so bleiben. Doch leider sind wir keine Wesen, die in Seifenblasen glücklich durch die Luft schweben; in unserem Leben gibt es ein Vorher und ein Nachher, und dieses Vorher und Nachher holt uns ein, legt sich über uns wie das Netz über die Beute. Man sagt, die Schuld der Väter falle auf die Söhne zurück. Das ist wahr, sehr wahr, die Schuld der Väter fällt auf die Söhne zurück, die der Großväter auf die Enkel, die der Urgroßeltern auf die Urenkel. Es gibt Wahrheiten, die ein Gefühl von Befreiung in sich tragen, und andere, die einem ein Gefühl des Grauens aufzwingen. Diese gehört zur zweiten Sorte. Wo hört die Schuldkette auf? Bei Kain? Muß denn wirklich alles so weit gehen? Steht hinter all dem etwas? In einem indischen Buch habe ich einmal gelesen, daß das Schicksal alle Macht besitzt, während die Willensanstrengung nur ein Vorwand ist. Nachdem ich das gelesen hatte, breitete sich großer Friede in mir aus. Schon am nächsten Tag jedoch, wenige Seiten weiter, hieß es, das Schicksal sei nichts anderes als das Ergebnis unserer früheren Handlungen, wir selbst seien unseres Glückes Schmied. So war ich wieder beim Ausgangspunkt angelangt. Wo fängt das alles an, habe ich mich gefragt. An welchem Faden muß man ziehen? Ist es ein Faden oder eine Kette? Kann man ihn durchschneiden, zerreißen, oder wickelt er uns für immer ein?

Ich muß jetzt eine Pause machen. Mein Kopf funktioniert nicht mehr so wie früher, die Ideen sind natürlich noch da, die Art zu denken hat sich nicht geändert, aber die Fähigkeit, eine längere Anstrengung durchzustehen, hat abgenommen. Jetzt bin ich müde, alles dreht sich in meinem Kopf wie früher, wenn ich als junges Mädchen versuchte, ein Philosophiebuch zu lesen. Sein, Nichtsein, Immanenz... nach wenigen Seiten empfand ich die gleiche Benommenheit, die einen überkommt, wenn man mit dem Autobus über Bergstraßen fährt. Vorerst verlasse ich dich und setze mich ein bißchen vor den geliebt-gehaßten Flimmerkasten, der im Wohnzimmer steht.

Hier bin ich wieder, dritter Tag unserer Begegnung. Oder besser gesagt, fünfter Tag und dritte Begegnung. Gestern war ich so müde, daß ich es nicht geschafft habe, etwas zu schreiben oder zu lesen. Da ich unruhig war und nicht wußte, was ich tun sollte, bin ich den ganzen Tag zwischen Haus und Garten hin und her gewandert. Die Luft war recht mild, und in den wärmsten Stunden habe ich mich auf die Bank neben der Forsythie gesetzt. Die Wiese und die Beete rund um mich waren in größter Unordnung. Während ich sie betrachtete, fiel mir der Streit wegen der welken Blätter wieder ein. Wann war das? Voriges Jahr? Vor zwei Jahren? Ich hatte eine Bronchitis gehabt, die nur sehr langsam ausheilte, die Blätter waren schon alle ins Gras gefallen und der Wind wirbelte sie durch die Gegend. Als ich aus dem Fenster sah, hatte mich große Traurigkeit überkommen, der Himmel war düster, alles wirkte sehr vernachlässigt dort draußen. Ich bin zu dir ins Zimmer gegangen, du lagst mit Kopfhörern über den Ohren auf dem Bett. Ich habe dich gebeten, ob du bitte die Blätter zusammenrechen könntest. Ich mußte den Satz mehrmals wiederholen, mit immer lauterer Stimme, bis du mich überhaupt hörtest. Du hast mit den Schultern gezuckt und gesagt: »Wieso denn? In der Natur räumt sie auch niemand weg, sie bleiben liegen und verfaulen, und so muß es sein.« Die Natur war damals dein großer Verbündeter, mit ihren unerschütterlichen Gesetzen konntest du alles rechtfertigen. Anstatt dir zu erklären, daß ein Garten gezähmte Natur ist, so wie ein Hund, und seinem Herrn jedes Jahr ähnlicher wird, daß er, eben genau wie ein Hund, ständig Aufmerksamkeit braucht, habe ich mich wortlos ins Wohnzimmer zurückgezogen. Kurz darauf, als du vorbeigegangen bist, um dir aus dem Kühlschrank etwas zu essen zu holen, hast du gesehen, daß ich weinte, aber nicht weiter darauf geachtet. Erst zur Abendessenszeit, als du wieder aus deinem Zimmer aufgetaucht bist und gefragt hast: »Was gibt's zu essen?«, hast du gemerkt, daß ich immer noch dort saß und immer noch weinte. Daraufhin bist du in die Küche gegangen und hast angefangen, am Herd zu hantieren. »Was willst du lieber«, hast du zu mir herübergerufen, »Schokoladenpudding oder Omelette?« – du hattest verstanden, daß mein Schmerz echt war, und versuchtest, nett zu sein, mir irgendwie einen Gefallen zu tun. Am nächsten Morgen, als ich die Fensterläden aufstieß, sah ich dich auf der Wiese: Du hattest deinen gelben Wachstuchmantel an und warst im strömenden Regen dabei, die Blätter zusammenzurechen. Als du gegen neun wieder hereinkamst, habe ich getan, als wäre nichts, ich wußte, daß du jenen Teil von dir, der dich dazu brachte, gut und freundlich zu sein, mehr haßtest als alles andere.

Heute früh, während ich betrübt die Beete im Garten betrachtete, dachte ich, daß ich wirklich jemand kommen lassen müßte, der ihn in Ordnung bringt, da der Garten seit meiner Krankheit sehr verwildert ist. Ich denke es, seit ich aus dem Krankenhaus zurück bin, und doch entschließe ich mich nie, etwas zu tun. Mit den Jahren habe ich eine eifersüchtige Liebe zu dem Garten entwickelt, um nichts in der Welt würde ich darauf verzichten, die Dahlien zu gießen, ein welkes Blatt von einem Ast zu zupfen. Das ist seltsam, denn als junges Mädchen war es mir sehr lästig, mich darum zu kümmern: Einen Garten zu haben, schien mir weniger ein Privileg als vielmehr eine Last zu sein. Tatsächlich genügte es, nur ein, zwei Tage etwas nachlässiger zu sein, und schon legte sich über die so mühsam erreichte Ordnung wieder die Unordnung, und Unordnung störte mich mehr als alles andere. Ich hatte innerlich keine Mitte, folglich ertrug ich es nicht, außen das widergespiegelt zu sehen, was in mir war. Daran hätte ich mich erinnern sollen, als ich dich bat, die Blätter zusammenzurechen!

Es gibt Dinge, die kann man erst in einem gewissen Alter verstehen und nicht vorher: Dazu gehört auch das Verhältnis zum Haus, zu allem, was darin und rundherum ist. Mit sechzig, siebzig Jahren verstehst du plötzlich, daß der Garten und das Haus nicht mehr Orte sind, wo du aus Bequemlichkeit oder aus Zufall oder wegen ihrer Schönheit lebst, sondern daß sie dein Garten und dein Haus sind, daß sie zu dir gehören wie die Muschelschalen zu dem Weichtier, das in ihnen wohnt. Du hast mit deinen Absonderungen die Muschel gebildet, in ihre Windungen ist deine Geschichte eingegraben, das schützende Haus hüllt dich ein, ist über dir, um dich herum, vielleicht wird nicht einmal der Tod es von deiner Gegenwart befreien, von den Freuden und Leiden, die du in ihm empfunden hast.

Gestern abend hatte ich keine Lust zu lesen, daher habe ich ferngesehen. Ehrlich gesagt, habe ich mehr zugehört als zugesehen, weil ich nach kaum einer halben Stunde eingenickt bin. In Abständen hörte ich die Worte, ein bißchen, wie wenn man im Zug in Halbschlaf versinkt und die Unterhaltungen der anderen Reisenden nur bruchstückweise und ohne einen Sinn zu einem durchdringen. Die Sendung handelte von einer Umfrage, die Journalisten über die Sekten des Jahrtausendendes veranstaltet hatten. Es gab mehrere Interviews mit echten und vermeintlichen Gurus, und aus dem Strom ihrer Worte drang mehrmals der Ausdruck Karma an mein Ohr. Kaum hörte ich das Wort, fiel mir das Gesicht meines Philosophieprofessors im Gymnasium wieder ein.

Er war jung und für die damalige Zeit sehr aufgeschlossen. Als er über Schopenhauer sprach, hatte er uns auch etwas über die östlichen Philosophien erzählt und uns dabei den Begriff Karma erklärt. Ich hatte damals nicht weiter darauf geachtet, das Wort und das, was es ausdrückte, waren mir zum einen Ohr hinein und zum anderen wieder hinausgegangen. Viele Jahre lang ist mir untergründig der Eindruck geblieben, es handle sich um eine Art Gesetz der Vergeltung von Gleichem mit Gleichem, so etwa wie Auge um Auge, Zahn um Zahn oder wer anderen eine Grube gräbt, fällt selbst hinein. Erst als die Kindergartenleiterin mich dann zu sich bestellte, um mit mir über dein sonderbares Verhalten zu reden, fiel mir das Karma – und was damit verbunden ist – wieder ein. Du hattest die gesamte Einrichtung in Aufregung versetzt. In der Stunde, in der frei erzählt werden durfte, hattest du aus heiterem Himmel angefangen, von deinem früheren Leben zu sprechen. Zuerst hatten die Kindergärtnerinnen es für eine kindliche

Überspanntheit gehalten. Sie hatten versucht, die Geschichte herunterzuspielen, dich in Widersprüche zu verwickeln. Doch du warst ihnen nicht auf den Leim gegangen, sondern hattest sogar einige Worte in einer Sprache gesagt, die niemandem bekannt war. Als sich die Sache zum dritten Mal wiederholte, wurde ich zur Leiterin des Kindergartens gerufen. Zu deinem und deiner Zukunft Bestem legte man mir nahe, dich von einem Psychologen untersuchen zu lassen. »Bei dem Trauma, das die Kleine erlebt hat«, sagte sie, »ist es normal, daß sie sich so verhält, daß sie versucht, aus der Realität zu flüchten.« Natürlich habe ich dich nie zum Psychologen gebracht, du schienst mir ein glückliches Kind zu sein, und ich war eher geneigt zu glauben, daß diese Phantasie von dir nicht einem vorhandenen Unwohlsein, sondern einer anderen Ordnung der Dinge zuzuschreiben sei. Ich habe dich nach dieser Begebenheit nie gedrängt, mit mir darüber zu sprechen, und auch du hast aus eigenem Antrieb kein Bedürfnis verspürt, es zu tun. Vielleicht hast du alles noch am selben Tag, an dem du es vor den entsetzten Kindergärtnerinnen ausgesprochen hast, wieder vergessen.

Ich habe den Eindruck, daß es in den letzten Jahren immer mehr zur Mode geworden ist, über solche Dinge zu sprechen: Früher waren diese Themen wenigen Auserwählten vorbehalten, jetzt dagegen sind sie in aller Munde. Vor einiger Zeit habe ich in einer Zeitung gelesen, in Amerika gebe es sogar Selbsterfahrungsgruppen über Reinkarnation. Die Leute treffen sich und reden über ihr früheres Leben. Die Hausfrau sagt etwa: »Im neunzehnten Jahrhundert in New Orleans war ich eine Dirne, deswegen kann ich jetzt meinem Mann nicht treu sein«, während der rassistische Tankwart den Grund für seinen Haß in der Tatsache findet, daß er im sechzehnten Jahrhundert auf einer Expedition von den Bantus verschlungen wurde. Was für traurige Dummheiten. Hat man die Wurzeln der eigenen Kultur verloren, versucht man, das Grau und die Unsicherheit der Gegenwart mit den früheren Leben aufzubessern. Wenn die Seelenwanderung einen Sinn hat, so ist es, glaube ich, ein ganz anderer.

Zur Zeit des Vorfalls im Kindergarten hatte ich mir einige Bücher besorgt; um dich besser zu verstehen, hatte ich versucht, etwas mehr über diese Dinge zu erfahren. Und tatsächlich stand in einem dieser Aufsätze, daß die Kinder, die sich genau an ihr Vorleben erinnern, solche sind, die zu früh und gewaltsam zu Tode kamen. Einige angesichts deiner Erfahrungen als Kind unerklärliche Wahnvorstellungen – das Gas, das aus Leitungen kam, die Furcht, alles könne von einem Augenblick zum anderen in die Luft gehen – machten mich geneigt, an diese Art von Erklärung zu glauben. Wenn du müde warst oder in Angst, oder auch im Schlaf, wurdest du von irrationalem Grauen erfaßt. Du hattest keine Angst vorm schwarzen Mann, vor Hexen oder vor dem Werwolf, sondern dich plagte mit einemmal die Furcht, die Welt der Dinge würde von einem Augenblick zum anderen von einem Vernichtungsbrand heimgesucht. Die ersten Male erhob ich mich, wenn du schreckerfüllt mitten in der Nacht in meinem Zimmer erschienst, und begleitete dich mit sanften Worten wieder in deines zurück. Dort wolltest du, wieder im Bett, meine Hand haltend, daß ich dir Geschichten erzählte, die gut ausgingen. Aus Furcht, ich könnte etwas Beunruhigendes sagen, beschriebst du mir die Handlung vorher in allen Einzelheiten, ich tat nichts weiter, als haarklein deine Anweisungen zu befolgen. Ich wiederholte das Märchen ein-, zwei-, dreimal: Wenn ich aufstand, um wieder in mein Zimmer zu gehen, überzeugt, daß du dich beruhigt hättest, erreichte mich an der Tür dein dünnes Stimmchen: »Geht es so aus?« fragtest du, »ist es wahr, geht es wirklich immer so aus?« Daraufhin machte ich noch einmal kehrt, küßte dich auf die Stirn und sagte dabei: »Es kann gar nicht anders ausgehen, mein Schatz, ich schwör's dir.«

In anderen Nächten jedoch hatte ich, obwohl ich dagegen war, dich bei mir schlafen zu lassen – es tut Kindern nicht gut, bei alten Leuten zu schlafen –, nicht den Mut, dich in dein Bett zurückzuschicken. Kaum fühlte ich deine Anwesenheit neben dem Nachttisch, beruhigte ich dich, ohne mich umzudrehen: »Es ist alles unter Kontrolle, nichts kann explodieren, geh ruhig wieder in dein Zimmer.« Dann tat ich, als fiele ich sofort wieder in tiefen Schlaf. Und ich hörte deinen leichten Atem kurz innehalten, nach einigen Sekunden knarrte leise der Bettrand, mit vorsichtigen Bewegungen schlüpftest du neben mich und schliefst erschöpft ein, wie ein Mäuschen, das nach einem großen Schrecken endlich die Wärme des Nests erreicht. Im Morgengrauen nahm ich dich, während du, noch ganz warm und entspannt, schliefst, in die Arme und trug dich in dein Zimmer zurück, um unser Spiel nicht zu verderben. Nur ganz selten konntest du dich beim Aufwachen an etwas erinnern, fast immer warst du überzeugt, die ganze Nacht in deinem Bett verbracht zu haben.

Wenn diese Anfälle von Panik dich tagsüber erfaßten, sprach ich beruhigend auf dich ein. »Siehst du nicht, wie fest das Haus ist«, sagte ich, »schau nur, wie dick die Mauern sind, wie sollen die in die Luft fliegen können?« Aber meine Bemühungen waren vollkommen vergeblich, mit geweiteten Augen starrtest du weiter vor dich hin ins Leere und sagtest immer wieder: »Alles kann in die Luft fliegen.« Ich habe nie aufgehört, mich zu fragen, woher diese Angst kommt. Was bedeutete die Explosion für dich? Konnte es die Erinnerung an deine Mutter sein, an ihr tragisches, plötzliches Ende? Oder war sie Teil jenes Lebens, von dem du mit außergewöhnlicher Unbefangenheit den Kindergärtnerinnen erzählt hattest? Oder waren diese beiden Dinge an einem unerreichbaren Ort deines Gedächtnisses miteinander vermischt? Wer weiß. Trotz allem, was gesagt wird, glaube ich, daß es im Kopf der Menschen immer noch mehr Schatten als Licht gibt. In dem Buch, das ich damals gekauft hatte, stand jedenfalls auch, daß die Kinder, die sich an vorherige Leben erinnern, viel häufiger in Indien und östlichen Ländern anzutreffen sind, wo diese Vorstellung seit jeher allgemein anerkannt ist. Das glaube ich wohl! Stell dir mal vor, ich wäre eines Tages zu meiner Mutter gegangen und hätte ohne jede Vorwarnung angefangen, in einer anderen Sprache zu reden, oder zu ihr gesagt: »Ich kann dich nicht ausstehen, bei meiner Mama im anderen Leben ist es mir viel besser ergangen.« Du kannst sicher sein, daß sie keinen Tag lang gezögert hätte, mich in eine Irrenanstalt zu sperren.

Gibt es die geringste Aussicht, sich von dem Schicksal zu befreien, das einem durch die Herkunft auferlegt wird, von dem, was die Vorfahren auf dem Weg des Blutes an uns weitergeben? Wer weiß. Vielleicht gelingt es in der klaustrophobischen Generationenabfolge irgendwann jemandem, eine höhere Stufe zu sehen, die er dann mit aller Kraft zu erreichen versucht. Einen Kreislauf zu durchbrechen, frische Luft in ein Zimmer hereinkommen zu lassen, das ist, glaube ich, das winzige Geheimnis der Seelenwanderung. Ein winziger Schritt, aber überaus mühsam, beängstigend in seiner Ungewißheit.

Meine Mutter hat mit sechzehn geheiratet, mit siebzehn hat sie mich geboren. In meiner ganzen Kindheit, nein, in meinem ganzen Leben habe ich sie nie eine einzige liebevolle Geste machen sehen. Ihre Ehe war keine Liebesheirat gewesen. Niemand hatte sie dazu gezwungen, sie hatte sich ganz allein dazu gezwungen, weil sie, reich, aber Jüdin, und noch dazu konvertiert, nichts mehr anstrebte, als einen Adelstitel zu besitzen. Mein Vater, älter als sie, Baron und Musikbesessener, hatte sich in ihre Begabung als Sängerin verliebt. Nachdem sie den Erben hervorgebracht hatten, den der gute Name verlangte, lebten sie bis ans Ende ihrer Tage in rachsüchtige gegenseitige Mißgunst verstrickt. Meine Mutter starb unbefriedigt und voller Groll, ohne daß sie je der Zweifel gestreift hätte, daß sie sich wenigstens einen Teil der Schuld selbst zuzuschreiben hatte. Es war die Welt, die grausam war, weil sie ihr keine bessere Wahl gelassen hatte. Ich war ganz anders als sie und konnte sie schon mit sieben Jahren, als die Abhängigkeit der frühen Kindheit vorbei war, nicht mehr ausstehen.

Ich habe ihretwegen viel gelitten. Sie regte sich ununterbrochen und immer nur über Äußerlichkeiten auf. Ihre angebliche »Vollkommenheit« führte dazu, daß ich mir schlecht vorkam, und der Preis für meine Schlechtigkeit war die Einsamkeit. Anfangs machte ich noch einige Versuche, so zu sein wie sie, aber es waren ungeschickte Versuche, die immer sofort scheiterten. Je mehr ich mich bemühte, um so unwohler fühlte ich mich. Selbstaufgabe führt zu Verachtung. Und von der Verachtung zur Wut ist es nicht weit. Als ich begriff, daß die Liebe meiner Mutter etwas war, das nur auf Schein beruhte, darauf, wie ich sein sollte und nicht darauf, wie ich wirklich war, begann ich, sie hinter verschlossener Tür und in meinem Herzen insgeheim zu hassen.

Um diesem Gefühl zu entgehen, flüchtete ich mich in meine ganz eigene Welt. Abends im Bett legte ich ein Tuch über die Nachttischlampe und las Abenteuerromane bis in die frühen Morgenstunden. Ich phantasierte sehr gern. Eine Zeitlang träumte ich davon, Piratin zu werden, ich lebte im Chinesischen Meer und war eine ganz besondere Piratin, weil ich nicht für mich selbst stahl, sondern alles den Armen gab. Von den Räuberphantasien ging ich zu philanthropischen Vorstellungen über und dachte, nach einem Medizinstudium würde ich nach Afrika gehen, um die Negerkinder zu behandeln. Mit vierzehn habe ich die Biographie von Schliemann gelesen, und dabei ist mir klargeworden, daß ich niemals Arzt werden und Menschen behandeln könnte, weil meine einzige Leidenschaft die Archäologie war. Ich glaube, von all den unzähligen Tätigkeiten, die auszuüben ich mir vorstellte, war sie die einzige, die mir wirklich etwas bedeutete.

Und tatsächlich habe ich, um diesen Traum zu verwirklichen, zum ersten und einzigen Mal mit meinem Vater gekämpft: um aufs humanistische Gymnasium zu gehen. Er wollte nichts davon hören, sagte, es sei zu gar nichts nütze und wenn ich unbedingt auf die höhere Schule wolle, solle ich lieber lebendige Sprachen lernen. Zum Schluß setzte ich jedoch meinen Kopf durch. Als ich über die Schwelle des Gymnasiums schritt, war ich fest überzeugt, gewonnen zu haben. Ich machte mir Illusionen. Als ich ihm am Ende der Schulzeit meine Absicht mitteilte, in Rom an der Universität zu studieren, war seine Antwort endgültig: »Das kommt überhaupt nicht in Frage!« Und ich, wie es damals üblich war, gehorchte ohne den geringsten Widerspruch. Man darf nicht glauben, eine Schlacht gewonnen zu haben bedeute, den Krieg gewonnen zu haben. Das ist ein Fehler, den man in der Jugend macht. Wenn ich jetzt daran zurückdenke, glaube ich, daß mein Vater am Ende nachgegeben hätte, wenn ich noch weiter gekämpft und an meiner Ansicht festgehalten hätte. Seine kategorische Weigerung war einfach Teil des Erziehungssystems jener Zeit. Im Grunde hielt man die jungen Leute keiner eigenen Entscheidung fähig. Folglich versuchte man, wenn sie einen anderen Willen kundtaten, sie auf die Probe zu stellen. Da ich schon bei der ersten Klippe aufgegeben hatte, war es für sie mehr als offensichtlich, daß es sich nicht um eine echte Berufung, sondern um vorübergehende Flausen handelte.

Für meinen Vater wie für meine Mutter waren die Kinder vor allem anderen eine von der Außenwelt auferlegte Pflicht. Unsere innere Entwicklung vernachlässigten sie ebenso vollkommen, wie sie sich mit äußerster Strenge um die banalsten Seiten der Erziehung kümmerten. Mit geradem Rücken, die Ellbogen am Körper angelegt, mußte ich mich zu Tisch setzen. Ob ich, während ich so dasaß, nur daran dachte, wie ich mir am besten den Tod geben könnte, war einerlei. Der äußere Schein war alles, jenseits davon gab es nur unschickliche Dinge.

So bin ich in dem Gefühl aufgewachsen, so etwas wie ein Affe zu sein, der gut dressiert werden muß, und nicht ein Mensch, eine Person mit ihren Freuden, ihren Augenblicken der Entmutigung, ihrem Bedürfnis, geliebt zu werden. Aus diesem Unbehagen ist mir innerlich bald eine große Einsamkeit erwachsen, eine Einsamkeit, die mit den Jahren immer riesiger wurde, eine Art luftleerer Raum, in dem ich mich mit den langen, plumpen Bewegungen eines Tauchers vorwärtstastete. Die Einsamkeit entstand auch durch die Fragen, Fragen, die ich mir stellte und auf die ich keine Antwort wußte. Schon mit vier, fünf Jahren sah ich mich um und fragte: »Warum bin ich hier? Woher komme ich, woher kommen all die Dinge, die ich rund um mich sehe, was steckt dahinter, sind sie immer da gewesen, auch als es mich noch nicht gab, werden sie immer da sein?« Ich stellte mir alle Fragen, die empfindsame Kinder sich stellen, wenn sie beginnen, die Vielschichtigkeit der Welt wahrzunehmen. Ich war überzeugt, daß auch die Großen sich diese Fragen stellten, daß sie fähig wären, sie zu beantworten, aber nach zwei oder drei Versuchen mit meiner Mutter und dem Kindermädchen habe ich nicht nur geahnt, daß sie ebensowenig eine Antwort wußten, sondern daß sie sich auch nie danach gefragt hatten.

So wuchs das Gefühl von Einsamkeit noch, verstehst

du, ich war gezwungen, jedes Rätsel aus eigener Kraft zu lösen: Je mehr Zeit verging, um so mehr Fragen stellte ich mir zu allem, es waren immer größere, immer schrecklichere Fragen, die angst machten, wenn man nur daran dachte.

Die erste Begegnung mit dem Tod hatte ich mit etwa sechs Jahren. Mein Vater besaß einen Jagdhund, Argo; er war von sanftem, freundlichem Wesen und mein liebster Spielgefährte. Ganze Nachmittage fütterte ich ihn mit Breichen aus Schlamm und Gras, oder ich zwang ihn, sich von mir frisieren zu lassen, und er trottete, ohne sich aufzulehnen, mit clipsgeschmückten Ohren durch den Garten. Eines Tages jedoch, als ich wieder einmal eine neue Frisur an ihm ausprobierte, bemerkte ich eine Schwellung an seinem Hals. Schon seit einigen Wochen hatte er keine Lust mehr zu laufen und zu springen wie früher, und wenn ich mich in eine Ecke setzte, um mein Nachmittagsbrot zu essen, baute er sich nicht mehr hoffnungsvoll seufzend vor mir auf.

Eines Mittags erwartete Argo mich nicht am Gartentor, als ich aus der Schule kam. Zuerst dachte ich, er sei mit meinem Vater unterwegs. Als ich aber meinen Vater, ohne Argo zu seinen Füßen, ruhig in seinem Arbeitszimmer sitzen sah, geriet ich in große innere Erregung. Ich ging hinaus und rief laut schreiend überall im Garten nach ihm, kehrte auch zwei- oder dreimal ins Haus zurück und durchsuchte es vom Keller bis zum Dachboden. Am Abend, als ich meinen Eltern den obligatorischen Gutenachtkuß geben sollte, nahm ich meinen ganzen Mut zusammen und fragte meinen Vater: »Wo ist Argo?« –

»Argo«, erwiderte er, ohne den Blick von der Zeitung zu heben, »Argo ist weggegangen.« – »Warum denn?« fragte ich. »Weil er deine Quälereien satt hatte.«

Taktlosigkeit? Oberflächlichkeit? Sadismus? Was lag in dieser Antwort? Genau in dem Augenblick, in dem ich die Worte hörte, zerbrach etwas in mir. Ich konnte nachts nicht mehr schlafen, und tagsüber brach ich bei der geringsten Nichtigkeit in Tränen aus. Nach ein bis zwei Monaten wurde ein Kinderarzt zu Rate gezogen. »Die Kleine ist erschöpft«, sagte er und verordnete mir Lebertran. Warum ich nicht schlief, warum ich immer Argos zernagten Ball mit mir herumtrug, hat mich nie jemand gefragt.

Diese Begebenheit bezeichnet meiner Ansicht nach meinen Eintritt ins Erwachsenenalter. Mit sechs Jahren? Ja genau, mit sechs Jahren. Argo war weggegangen, weil ich böse gewesen war, mein Betragen hatte also einen Einfluß auf das, was um mich war. Einen Einfluß, der zum Verschwinden, zu Zerstörung führte.

Von da an waren meine Handlungen nicht mehr unbeschwert, nicht mehr folgenlos. Vor Angst, noch weitere Fehler zu begehen, habe ich sie nach und nach auf ein Mindestmaß beschränkt, bin apathisch und zögerlich geworden. Nachts preßte ich den Ball zwischen den Händen und sagte weinend: »Argo, bitte komm zurück, auch wenn ich etwas verkehrt gemacht habe, mag ich dich doch lieber als alle anderen.« Als mein Vater einen neuen Welpen mit nach Hause brachte, wollte ich ihn nicht einmal ansehen. Er war für mich ein Fremder, und so mußte es bleiben.

Heuchelei bestimmte die Kindererziehung. Ich erinnere mich noch genau, wie ich einmal, als ich beim Spazierengehen mit meinem Vater an einer Hecke vorüberkam, ein totes Rotkehlchen fand. Ohne jede Scheu hob ich es auf und zeigte es ihm. »Leg's wieder hin«, hatte er sofort geschrien, »siehst du denn nicht, daß es schläft?« Der Tod war, wie die Liebe, ein Thema, über das nicht gesprochen werden durfte. Wäre es nicht tausendmal besser gewesen, wenn sie mir gesagt hätten, daß Argo tot war? Mein Vater hätte mich in den Arm nehmen und zu mir sagen können: »Ich habe ihn getötet, weil er krank war und zuviel leiden mußte. Wo er jetzt ist, ist er viel glücklicher.« Natürlich hätte ich mehr geweint, wäre verzweifelt gewesen, monatelang wäre ich immer wieder zu der Stelle gegangen, wo er begraben lag, hätte lange durch die Erde hindurch mit ihm gesprochen. Dann hätte ich ganz langsam angefangen, ihn zu vergessen, andere Dinge wären interessant geworden, andere Leidenschaften hätten mich ergriffen, und Argo wäre in meinen Gedanken in den Hintergrund getreten wie eine Erinnerung, eine schöne Erinnerung meiner Kindheit. Auf diese Weise aber wurde Argo zu einem kleinen Toten, den ich in mir trage.

Deshalb sage ich, daß ich mit sechs Jahren schon groß war, weil an die Stelle der Freude schon die Angst, an die Stelle der Neugier schon die Gleichgültigkeit getreten war. Waren mein Vater und meine Mutter denn Ungeheuer? Nein, keineswegs, für die damalige Zeit waren sie völlig normal.

Erst im Alter begann meine Muter, mir etwas über ihre Kindheit zu erzählen. Ihre Mutter war gestorben, als sie noch klein war, und hatte zuvor einen Jungen gehabt, der mit drei Jahren an einer Lungenentzündung starb. Sie war gleich danach gezeugt worden und hatte nicht nur das Unglück gehabt, als Mädchen geboren zu werden, sondern auch am gleichen Tag, an dem der Bruder gestorben war. Um an dieses traurige Zusammentreffen zu erinnern, hatte man sie schon als Säugling in die Farbe der Trauer gekleidet. Über der Wiege hing ein großes Ölgemälde des Bruders. Es sollte ihr jedesmal, wenn sie die Augen öffnete, vergegenwärtigen, daß sie nur ein Ersatz war, eine blasse Kopie von jemandem, der besser war. Verstehst du? Wie sollte man sie da beschuldigen wegen ihrer Kälte, wegen ihrer Lebensferne? Sogar Affen, die anstatt von der eigenen Mutter in einem aseptischen Labor aufgezogen werden, trauern nach einer Weile und gehen schließlich ein. Und wer weiß, was wir finden würden, wenn wir noch weiter nachforschten, um zu sehen, wie es ihrer Mutter oder der Mutter ihrer Mutter ergangen war.

Normalerweise folgt das Unglück der weiblichen Linie. Wie manche genetischen Anomalien wird es von der Mutter an die Tochter weitergegeben. Und anstatt sich allmählich zu verlieren, wird es immer heftiger, unausrottbarer und größer. Für die Männer war es damals ganz anders, sie hatten ihren Beruf, die Politik, den Krieg; sie konnten ihre Kraft nach außen wenden, sie ausleben. Wir nicht. Wir haben uns Generationen um Generationen nur zwischen Schlafzimmer, Küche und Bad bewegt; wir haben Tausende von Schritten getan, von Handgriffen ausgeführt, und dabei immer den gleichen Groll, die gleiche Unzufriedenheit mit uns herumgetragen. Ob ich Feministin geworden bin? Nein, fürchte nichts, ich versuche nur, mit klarem Verstand zu erkennen, was dahintersteckt.

Weißt du noch, wie wir in der Nacht vom 15. August aufs Vorgebirge hinaufwanderten, um dem Feuerwerk zuzusehen, das am Meer veranstaltet wurde? Unter all den Raketen war ab und zu eine, die zwar zündete, aber es nicht schaffte, zum Himmel aufzusteigen. Nun, wenn ich an das Leben meiner Mutter denke, an das meiner Großmutter, an das Leben vieler Menschen, die ich kenne, dann fällt mir genau dieses Bild ein – sie implodieren, anstatt aufzusteigen.

Irgendwo habe ich gelesen, daß Manzoni, während er *Die Verlobten* schrieb, sich jeden Morgen beim Aufstehen freute, allen seinen Personen wiederzubegegnen. Das kann ich von mir nicht behaupten. Obwohl viele Jahre darüber hinweggegangen sind, bereitet es mir keinerlei Vergnügen, über meine Familie zu sprechen, meine Mutter ist mir regungslos und feindselig wie ein Janitschar im Gedächtnis geblieben. Heute früh habe ich, damit etwas Luft ist zwischen mir und ihr, zwischen mir und den Erinnerungen, einen Spaziergang durch den Garten gemacht. In der Nacht hatte es geregnet, nach Westen zu war der Himmel hell, während hinter dem Haus noch große lila Wolken drohten. Um nicht vom nächsten Schauer überrascht zu werden, bin ich wieder hineingegangen. Kurz darauf brach ein Gewitter los und im Haus wurde es so dunkel, daß ich die Lichter anmachen mußte. Ich habe den Fernseher und den Kühlschrank ausgesteckt, damit sie nicht vom Blitz beschädigt werden, dann habe ich die Taschenlampe genommen und bin in die Küche gegangen, um unsere tägliche Verabredung einzuhalten.

Doch kaum hatte ich mich gesetzt, wurde mir klar, daß ich noch nicht bereit war, vielleicht war die Luft zu aufgeladen, meine Gedanken sprangen durch die Gegend wie Funken. Also bin ich wieder aufgestanden und ziellos ein wenig durchs Haus gegangen, den unerschrockenen Buck dicht hinter mir. Ich bin in das Zimmer gegangen, wo ich

mit deinem Großvater schlief, dann in mein jetziges – das
früher deiner Mutter gehörte –, dann in das schon so lange
unbenutzte Eßzimmer, und schließlich in deines. Während ich so von einem Raum in den anderen ging, fiel
mir wieder ein, wie das Haus auf mich gewirkt hatte, als
ich es zum ersten Mal betrat: Es hatte mir überhaupt
nicht gefallen. Nicht ich hatte es ausgesucht, sondern mein
Mann Augusto, und auch er hatte sich überstürzt entschieden. Wir brauchten einen Platz zum Wohnen und
konnten nicht mehr länger warten. Da das Haus ziemlich
groß war und einen Garten hatte, war es ihm vorgekommen, als entspräche es allen unseren Anforderungen. Von
dem Augenblick an, in dem wir das Gartentor öffneten,
hatte ich gleich den Eindruck, es sei von schlechtem, ja sogar schlechtestem Geschmack; weder in den Farben noch
in den Formen paßte irgendein Teil zu einem anderen. Von
der einen Seite betrachtet, sah es aus wie ein Schweizer
Chalet, von der anderen hätte es, mit seinem großen Bullauge in der Mitte und dem Stufengiebel, eines jener holländischen Häuser sein können, die an den Grachten stehen.
Und aus der Ferne gesehen hatte man den Eindruck, daß es
mit seinen sieben verschiedenen Schornsteinen nur aus
einem Märchen stammen konnte. Es war in den zwanziger
Jahren gebaut worden, besaß aber kein einziges Merkmal,
das es als Haus aus jener Epoche auswies. Daß es keine
Identität hatte, beunruhigte mich, ich habe Jahre gebraucht, um mich daran zu gewöhnen, daß es mein Zuhause war und das Leben meiner Familie in seinen Wänden stattfand.

Als ich gerade in deinem Zimmer war, ist bei einem

Blitz, der näher eingeschlagen hatte als die anderen, die Sicherung durchgebrannt. Anstatt die Taschenlampe anzuknipsen, habe ich mich auf dein Bett gelegt. Draußen rauschte heftiger Regen und der Wind pfiff, drinnen gab es andere Geräusche, Knarren, kleine dumpfe Töne, das Geräusch von arbeitendem Holz. Während ich mit geschlossenen Augen dalag, kam mir das Haus einen Augenblick lang vor wie ein Schiff, ein großes Segelschiff, das über die Wiese dahingleitet. Der Sturm hatte sich erst um die Mittagszeit gelegt, vom Fenster deines Zimmers aus habe ich gesehen, daß zwei große Äste vom Nußbaum abgebrochen waren.

Jetzt bin ich wieder in der Küche, auf meinem Schlachtfeld, habe gegessen und das bißchen Geschirr gespült, das ich gebraucht hatte. Buck schläft zu meinen Füßen, erschöpft von den Aufregungen des heutigen Vormittags. Je älter er wird, um so mehr versetzen Gewitter ihn in einen Schreckenszustand, von dem er sich nur mühsam erholt.

In den Büchern, die ich gekauft hatte, als du noch in den Kindergarten gingst, las ich irgendwann auch, daß die Wahl der Familie, in die man hineingeboren wird, von der Stufe abhängt, die man bei der Seelenwanderung erreicht hat. Man hat diesen Vater und diese Mutter, weil nur er und nur sie uns erlauben werden, einen winzig kleinen Schritt nach vorn zu tun. Wenn es aber so ist, hatte ich mich damals gefragt, warum tritt man dann so viele Generationen lang auf der Stelle? Warum macht man Rückschritte, anstatt vorwärtszukommen?

Kürzlich stand in der wissenschaftlichen Beilage einer Zeitung, daß die Evolution vielleicht gar nicht so funktioniert, wie wir immer angenommen hatten. Nach den neusten Theorien finden die Veränderungen nicht allmählich statt. Die längere Pfote, der anders geformte Schnabel, der der Erschließung anderer Nahrungsquellen dient, bilden sich nicht nach und nach, Millimeter für Millimeter, Generation um Generation heraus. Nein, sie treten plötzlich auf: Von der Mutter zum Sohn ist auf einmal alles anders. Zur Bestätigung gibt es Skelettüberreste, Kieferknochen, Hufe, Schädel mit anderen Zähnen. Von sehr vielen Arten sind nie Übergangsformen gefunden worden. Der Großvater ist so und der Enkel anders, zwischen einer Generation und der nächsten hat ein Sprung stattgefunden. Wenn das auch auf das Innenleben der Menschen zuträfe?

Die Veränderungen mehren sich unbemerkt, ganz allmählich, und irgendwann kommen sie zum Ausbruch. Plötzlich unterbricht eine Person den Kreislauf, beschließt, anders zu sein. Schicksal, Vererbung, Erziehung, wo beginnt das eine, wo endet das andere? Wenn du auch nur einen Augenblick innehältst, um darüber nachzudenken, überkommt dich Bestürzung angesichts des großen Geheimnisses, das hinter all dem verborgen ist.

Kurz vor meiner Hochzeit hatte die Schwester meines Vaters von einem mit ihr befreundeten Astrologen ein Horoskop für mich machen lassen. Eines Tages stand sie mit einem Blatt Papier in der Hand vor mir und sagte: »Hier, das ist deine Zukunft.« Auf dem Blatt war eine geometrische Zeichnung, die Linien, mit denen die Punkte der verschiedenen Planeten miteinander verbunden waren, formten viele Zacken. Als ich es sah, dachte ich – ich erinnere mich noch genau –, da ist keine Harmonie drin, keine Kontinuität, sondern lauter Sprünge, lauter so unvermittelte Kehrtwendungen, daß es jedesmal wirkt wie ein Sturz. Auf die Rückseite hatte der Astrologe geschrieben: »Ein schwieriger Weg, du wirst dich mit all deinen Tugenden wappnen müssen, um ihn bis zum Ende zu gehen.«

Die Sache hatte mich stark beeindruckt, denn bis zu dem Moment war mir mein Leben sehr banal erschienen; es hatte zwar auch Schwierigkeiten gegeben, aber diese Schwierigkeiten waren mir recht nichtig vorgekommen, mehr denn Abgründe war es einfach das übliche Auf und Ab in der Jugend gewesen. Auch als ich dann erwachsen wurde, Ehefrau und Mutter, Witwe und Großmutter, habe ich mich nie von dieser scheinbaren Normalität entfernt. Das einzige außergewöhnliche Ereignis, wenn man es so nennen kann, war der tragische Tod deiner Mutter. Und doch log diese Sternenkarte, wenn man es genau betrachtet, im Grunde genommen nicht: Unter der soliden, glatten Oberfläche, hinter meinem Alltagstrott einer bürgerlichen Frau verbarg sich in Wirklichkeit eine ständige Bewegung, die aus kleinen Aufschwüngen, Zerrissenheiten, unerwarteten Finsternissen und tiefsten Einbrüchen bestand. Oft gewann in meinem Leben die Verzweiflung die Oberhand, ich fühlte mich wie die Soldaten, die, im Stechschritt marschierend, auf der Stelle treten. Die Zeiten änderten sich, die Menschen änderten sich, alles änderte sich um mich her, und ich hatte den Eindruck, immer am selben Fleck zu bleiben.

Der Tod deiner Mutter hat der Gleichförmigkeit dieses Marsches den Gnadenstoß versetzt. Die ohnedies bescheidene Vorstellung, die ich von mir hatte, brach schlagartig in sich zusammen. Falls ich bisher ein oder zwei Schritte vorwärts getan habe, sagte ich mir, so hat es mich jetzt plötzlich zurückgeworfen, ich habe auf meinem Weg den Tiefpunkt erreicht. In jenen Tagen fürchtete ich, nicht mehr weiter zu können, mir war, als sei der winzige Bruchteil von Dingen, den ich bis dahin verstanden hatte, blitzartig ausgelöscht worden. Zum Glück habe ich mich diesem depressiven Zustand nicht lange überlassen können, das Leben mit seinen Anforderungen ging ja weiter.

Das Leben warst du: Klein, schutzlos, ohne einen anderen Menschen auf der Welt, hast du dieses stille, traurige Haus mit deinem unvermittelten Lachen, deinem Weinen erfüllt. Als ich deinen großen Kinderkopf zwischen Tisch und Sofa hin und her schwanken sah, habe ich, das weiß ich noch, gedacht, daß wohl doch nicht alles vorbei sei. Der Zufall hatte mir in seiner unvorhersehbaren Großzügigkeit noch eine Chance gegeben.

Der *Zufall*. Einmal hat der Mann von Frau Morpurgo mir erzählt, dieses Wort gebe es im Hebräischen nicht. Um etwas die Zufälligkeit Betreffendes auszudrücken, müssen sie das Wort *Hasard* benutzen, das aus dem Arabischen kommt. Das ist komisch, findest du nicht? Es ist komisch, aber auch beruhigend: Wo Gott ist, ist kein Platz für den Zufall, nicht einmal für das einfache Wort, das ihn bezeichnet. Alles ist geordnet, von oben geregelt, alles, was dir geschieht, geschieht dir, weil es einen Sinn hat. Ich habe diejenigen, die sich ohne Zögern diese Weltanschauung zu eigen machen, immer sehr um ihre Unbeschwertheit beneidet. Was mich betrifft, so ist es mir bei allem guten

Willen nie gelungen, sie mehr als zwei Tage hintereinander durchzuhalten: Vor dem Grauen, vor der Ungerechtigkeit bin ich immer zurückgewichen; anstatt sie dankbar zu rechtfertigen, haben sie in mir stets ein Gefühl heftiger Auflehnung ausgelöst.

Jetzt jedoch werde ich etwas wirklich Gewagtes tun, nämlich dir einen Kuß schicken. Wie du diese Küsse haßt, nicht wahr? Sie prallen an deinem Panzer ab wie Tennisbälle. Aber das ist völlig nebensächlich, ob es dir gefällt oder nicht, einen Kuß schicke ich dir trotzdem, du kannst nichts dagegen tun, denn in diesem Augenblick schwebt er schon durchsichtig und leicht über den Ozean.

Ich bin müde. Mit einer gewissen Angst habe ich das, was ich bisher geschrieben habe, noch einmal durchgelesen. Wirst du etwas verstehen? So viele Dinge drängen sich in meinem Kopf; um herauszukommen, schubsen sie einander beiseite wie die Damen beim Schlußverkauf. Wenn ich über etwas nachdenke, gelingt es mir nie, systematisch vorzugehen, den Faden entsprechend einer Logik von Anfang bis Ende aufzurollen. Manchmal glaube ich, daß es so ist, weil ich nie auf der Universität war. Ich habe sehr viele Bücher gelesen, war auf viele Dinge neugierig, aber immer mit einem Gedanken bei den Windeln, einem am Kochtopf und einem dritten bei den Gefühlen. Wenn ein Botaniker durch eine Wiese geht, wählt er die Blumen nach einer genauen Ordnung aus, er weiß, was er sucht und was ihn überhaupt nicht interessiert; er entscheidet, sondert aus, stellt Verbindungen her. Wenn aber ein Spaziergänger durch die Wiese geht, werden die Blumen auf andere Weise ausgewählt, eine, weil sie gelb ist, eine andere, weil sie blau ist, eine dritte, weil sie duftet, die vierte, weil sie am Wegrand blüht. Genauso ist mein Verhältnis zum Wissen gewesen, glaube ich. Deine Mutter warf es mir immer vor. Wenn wir miteinander diskutierten, unterlag ich fast sofort. »Du denkst nicht dialektisch«, sagte sie zu mir. »Wie alle Bourgeois bist du nicht in der Lage, das, was du denkst, ernsthaft zu verteidigen.«

So wie dich eine wilde, namenlose Unruhe erfüllt, war deine Mutter von Ideologie erfüllt. Für sie war die Tatsache, daß ich von kleinen anstatt von großen Dingen redete, ein ständiges Ärgernis. Sie sagte, ich sei reaktionär und kranke an bürgerlichen Phantasien. Ihrer Ansicht nach war ich reich und daher dem Überflüssigen, dem Luxus verfallen und besaß einen natürlichen Hang zum Bösen.

So, wie sie mich manchmal ansah, war ich sicher, daß sie mich, hätte es ein Volkstribunal mit ihr als Vorsitzender gegeben, zum Tode verurteilt hätte. Mein Unrecht war, in einer kleinen Villa mit Garten statt in einer Baracke oder einer Mietskaserne in der Vorstadt zu leben. Zu diesem Unrecht kam noch hinzu, daß ich eine kleine Rente geerbt hatte, die für unser beider Lebensunterhalt reichte. Um nicht die Fehler zu machen, die meine Eltern begangen hatten, interessierte ich mich für das, was sie sagte, oder bemühte mich jedenfalls darum. Ich habe sie nie ausgelacht und auch nie durchblicken lassen, wie fremd mir alle totalitären Ideen waren, doch sie muß mein Mißtrauen gegenüber ihren vorgefertigten Sätzen dennoch gespürt haben.

Ilaria ging in Padua auf die Universität. Sie hätte genau-

sogut in Triest studieren können, aber sie war zu unduld-
sam, um weiter mit mir zusammenzuleben. Jedesmal,
wenn ich ihr vorschlug, ich könnte sie besuchen, antwortete sie mir mit einem feindseligen Schweigen. Sie kam
sehr langsam mit dem Studium voran, ich wußte nicht, mit
wem sie sich die Wohnung teilte, sie hatte es mir nie sagen
wollen. Da ich ihre Anfälligkeit kannte, machte ich mir
Sorgen. Es hatte den Mai '68 gegeben, die besetzten Uni-
versitäten, die Studentenbewegung. Wenn ich bei ihren
seltenen Anrufen ihren kurzen Berichten zuhörte, wurde
mir klar, daß ich ihr nicht mehr folgen konnte, daß sie sich
immer mit Feuereifer für irgend etwas einsetzte und dieses
Etwas ständig wechselte. Meiner Mutterrolle gehorchend,
versuchte ich, sie zu verstehen, aber es war sehr schwierig:
Alles war verkrampft, unbeständig, es gab zu viele neue
Ideen, zu viele absolute Begriffe. Anstatt mit ihren eigenen
Worten zu reden, benutzte Ilaria ein Schlagwort nach dem
anderen. Ich fürchtete um ihr seelisches Gleichgewicht:
Sich zugehörig zu einer Gruppe zu fühlen, mit der sie die-
selben Gewißheiten, dieselben absoluten Dogmen teilte,
verstärkte auf besorgniserregende Weise ihre natürliche
Neigung zur Überheblichkeit.

Als sie im sechsten Studienjahr war, nahm ich, beunru-
higt, daß ihr Schweigen länger andauerte als sonst, den
Zug und fuhr sie besuchen. Das hatte ich noch nie getan,
seit sie in Padua wohnte. Als sie die Tür öffnete, war sie
entsetzt. Anstatt mich zu begrüßen, griff sie mich an: »Wer
hat dich eingeladen?« Und ohne mir Zeit für eine Antwort
zu lassen, setzte sie hinzu: »Du hättest mir Bescheid sagen
müssen, ich wollte gerade gehen. Ich habe heute früh eine

wichtige Prüfung.« Sie war noch im Nachthemd und es war offensichtlich, daß es sich um eine Ausrede handelte. Ich tat, als bemerkte ich nichts, und sagte: »Nun gut, dann werde ich eben auf dich warten, und danach werden wir das Ergebnis zusammen feiern.« Kurz darauf ging sie wirklich, so überstürzt, daß sie die Bücher auf dem Tisch liegenließ.

Als ich in der Wohnung allein war, tat ich das, was jede andere Mutter auch getan hätte: Ich begann, in ihren Schubladen zu stöbern, ich suchte nach einem Zeichen, nach etwas, das mir helfen könnte zu verstehen, welche Richtung ihr Leben genommen hatte. Es war nicht meine Absicht, ihr nachzuspionieren, Zensur auszuüben oder mich wie ein Inquisitor zu verhalten, solche Dinge lagen meinem Charakter schon immer fern. Ich fühlte nur eine große Angst in mir, und um sie zu besänftigen, brauchte ich einen Anknüpfungspunkt. Abgesehen von Flugblättern und ein paar revolutionären Propagandaschriften fiel mir nichts in die Hände, kein Brief, kein Tagebuch. An einer Wand ihres Schlafzimmers hing ein Plakat, auf dem stand: »Die Familie ist so luftig und anregend wie eine Gaskammer.« Auf seine Weise war das ein Indiz.

Ilaria kam am frühen Nachmittag heim und sah noch genauso abgehetzt aus, wie sie fortgegangen war. »Wie ist es dir in der Prüfung ergangen?« fragte ich sie so liebevoll wie möglich.

Sie zuckte die Achseln. »Wie immer«, und nach einer Pause fügte sie hinzu: »Bist du deswegen gekommen? Um mich zu kontrollieren?«

Ich wollte einen Zusammenstoß vermeiden, daher antwortete ich ihr in ruhigem, entgegenkommendem Tonfall, daß ich nur einen einzigen Wunsch hätte, nämlich den, ein wenig mit ihr zu reden.

»Reden?« fragte sie ungläubig. »Und worüber? Über deine mystischen Spinnereien?«

»Über dich, Ilaria«, sagte ich daraufhin leise und versuchte, ihren Augen zu begegnen.

Sie trat ans Fenster, den Blick starr auf eine Weide mit matten, herabhängenden Zweigen gerichtet: »Ich habe nichts zu erzählen, jedenfalls dir nicht. Ich will keine Zeit verlieren mit pseudointimem kleinbürgerlichem Geschwätz.« Dann blickte sie von der Weide auf ihre Armbanduhr und sagte: »Es ist spät, ich habe eine wichtige Versammlung. Du mußt gehen.«

Ich gehorchte ihr nicht, ich stand auf, doch anstatt zu gehen, trat ich zu ihr und nahm ihre Hände in meine. »Was ist los?« fragte ich sie. »Worunter leidest du?« Ich hörte, wie ihr Atem rascher ging. »Dich in diesem Zustand zu sehen tut mir in der Seele weh«, setzte ich hinzu. »Auch wenn du mich als Mutter ablehnst, lehne ich dich nicht als Tochter ab. Ich möchte dir helfen, aber wenn du mir nicht entgegenkommst, kann ich nichts tun.«

Da begann ihr Kinn zu zittern, wie früher, wenn sie als Kind dem Weinen nahe war; sie riß sich los und drehte sich ruckartig zur Zimmerecke um. Ihr schmaler, angespannter Körper wurde von tiefen Schluchzern geschüttelt. Ich strich ihr übers Haar, und so eisig ihre Hände waren, so heiß war ihr Kopf. Sie drehte sich abrupt um, umarmte mich und verbarg ihr Gesicht an meiner Schulter. »Mama«, sagte sie, »ich ... ich ...«

Genau in dem Augenblick klingelte das Telefon.

»Laß es läuten«, flüsterte ich ihr ins Ohr.

»Ich kann nicht«, antwortete sie, während sie sich die Augen trocknete.

Als sie den Hörer abnahm, war ihre Stimme wieder fremd und metallisch. Das kurze Gespräch klang, als sei etwas Schwerwiegendes vorgefallen. Tatsächlich sagte sie gleich danach zu mir: »Es tut mir leid, aber jetzt mußt du wirklich gehen.« Wir verließen zusammen das Haus, an der Tür ließ sie sich zu einer raschen, schuldbewußten Umarmung hinreißen. »Niemand kann mir helfen«, flüsterte sie, während sie mich drückte. Ich begleitete sie zu ihrem Fahrrad, das unweit an einen Mast angeschlossen war. Sie saß schon im Sattel, als sie zwei Finger unter meine Perlenkette schob und dabei sagte: »Ja, ja, die Perlen sind dein Erkennungszeichen; seit du geboren bist, hast du noch nie den Mut gehabt, einen Schritt ohne sie zu machen!«

Nach so vielen Jahren Abstand ist es diese Episode aus dem Leben mit deiner Mutter, die mir am häufigsten in den Sinn kommt. Ich denke oft daran. Wie ist es möglich, frage ich mich, daß von allen Dingen, die wir zusammen erlebt haben, in meiner Erinnerung diese immer zuerst auftaucht? Gerade heute, während ich zum soundsovielten Mal darüber nachdachte, fiel mir das Sprichwort ein: »Die Zunge geht immer dahin, wo der Zahn weh tut.« Was hat das damit zu tun, wirst du dich fragen. Und ob es damit zu tun hat, sehr viel sogar. Diese Situation kommt mir so oft in den Sinn, weil sie die einzige ist, in der ich die Möglichkeit hatte, eine Veränderung einzuleiten. Deine

Mutter hatte zu weinen angefangen, sie hatte mich umarmt: In dem Augenblick hatte sich ihr Panzer einen Spaltbreit geöffnet, eine winzige Ritze, durch die ich hineingekonnt hätte. Wäre ich erst einmal drinnen gewesen, hätte ich es machen können wie die Dübel, die aufgehen, kaum daß sie in der Mauer drin sind: Nach und nach spreizen sie sich und gewinnen ein wenig Raum. Ich hätte mich in einen festen Bezugspunkt in ihrem Leben verwandelt. Dazu hätte ich Mut gebraucht. Als sie zu mir sagte: »Du mußt jetzt gehen«, hätte ich bleiben müssen. Ich hätte in einem Hotel in der Nähe ein Zimmer nehmen und jeden Tag wieder bei ihr anklopfen müssen; so lange, bis sich der Spalt in einen Durchgang verwandelt hätte. Es fehlte nur noch wenig, ich spürte es.

Aber ich habe es nicht getan: Aus Feigheit, Faulheit und falschem Schamgefühl habe ich ihrem Befehl gehorcht. Ich hatte die Zudringlichkeit meiner Mutter gehaßt, ich wollte eine andere Mutter sein, ihre Freiheit achten. Hinter der Maske der Freiheit verbirgt sich oft Interesselosigkeit, der Wunsch, nicht verwickelt zu werden. Die Grenze ist sehr schmal, sie zu überschreiten oder nicht zu überschreiten ist die Frage eines Augenblicks, einer Entscheidung, die man trifft oder nicht; ihre Bedeutung wird dir erst klar, wenn der Augenblick vorbei ist. Erst dann bereust du es, erst dann begreifst du, daß in jenem Augenblick nicht Freiheit, sondern Einmischung nötig gewesen wäre: Du warst anwesend, die Sache war dir bewußt, und aus diesem Bewußtsein hätte die Verpflichtung zu handeln entstehen müssen. Die Liebe ist nichts für Faule, um sich in aller Fülle zu entfalten, verlangt sie manchmal eindeutige, starke Taten. Verstehst du? Ich hatte meiner Feigheit und meiner Trägheit das edle Mäntelchen der Freiheit umgehängt.

Der Gedanke, daß es ein Schicksal gibt, kommt mit den Jahren. Wenn man so alt ist wie du, sieht man alles, was geschieht, als Erzeugnis des eigenen Willens an. Du fühlst dich wie ein Arbeiter, der Stein um Stein die Straße vor sich baut, die er wird gehen müssen. Erst viel später merkst du, daß die Straße schon da ist, daß jemand sie dir schon vorgezeichnet hat und dir nichts bleibt, als sie weiter zu gehen. Es ist eine Entdeckung, die man gewöhnlich um die Vierzig herum macht, da etwa beginnt man zu ahnen, daß die Dinge nicht nur von einem selbst abhängen. Es ist ein gefährlicher Augenblick, in dem die Leute nicht selten in einen klaustrophobischen Fatalismus hineinschlittern. Um das Schicksal in seiner ganzen Wirklichkeit zu sehen, mußt du noch ein paar Jahre verstreichen lassen. Um die Sechzig herum, wenn der Weg, der hinter dir liegt, länger ist als der, den du noch vor dir hast, siehst du etwas, was du noch nie bemerkt hattest: Der Weg, den du gegangen bist, war nicht gerade, sondern voller Scheidewege, bei jedem Schritt gab es einen Wegweiser, der in eine andere Richtung deutete; von einer Stelle ging ein Pfad ab, von einer anderen ein grasbewachsener Feldweg, der sich im Wald verlor. Manche dieser Abzweigungen hast du eingeschlagen, ohne es überhaupt zu merken, andere hattest du gar nicht gesehen; du weißt nicht, wohin die, die du links liegengelassen hast, dich geführt hätten, ob an einen besseren oder schlechteren Ort; du weißt es nicht und trauerst ihnen doch nach. Du hättest etwas tun können und hast es nicht getan, du bist rückwärts gegangen anstatt vorwärts. Das Gänsespiel, erinnerst du dich noch daran? Nicht viel anders geht es im Leben.

An den Gabelungen deines Weges begegnest du anderen Leben, ob du sie kennenlernst oder nicht, ob du in einen tiefen Austausch mit ihnen trittst oder sie nicht beachtest, hängt allein von der Wahl ab, die du in einer Sekunde triffst; ob du weitergehst oder abbiegst, bestimmt, auch wenn du es nicht weißt, oft über deine ganze Existenz und über die der Menschen, die mit dir zusammenleben.

Heute nacht ist das Wetter umgeschlagen, von Osten ist der Wind gekommen und hat in wenigen Stunden alle Wolken weggefegt. Bevor ich zu schreiben anfing, habe ich einen Spaziergang durch den Garten gemacht. Die Bora wehte noch heftig, kroch einem unter die Kleider. Buck war begeistert, wollte spielen und lief mit einem Pinienzapfen im Maul neben mir her. Mit meinem bißchen Kraft konnte ich den Zapfen nur einmal für ihn werfen, und auch nicht sehr weit, aber Buck war trotzdem zufrieden. Nachdem ich den Gesundheitszustand deiner Rose geprüft hatte, habe ich noch den Nußbaum und den Kirschbaum begrüßt, meine Lieblingsbäume.

Weißt du noch, wie du mich immer ausgelacht hast, wenn ich Baumstämme streichelte? »Was machst du da?« sagtest du. »Das ist doch kein Pferderücken.« Wenn ich dich darauf hinwies, daß einen Baum zu streicheln nicht anders ist, als irgendein anderes Lebewesen zu streicheln, ja sogar besser, zucktest du die Schultern und gingst ärgerlich davon. Warum es besser ist? Nun, wenn ich zum Beispiel Buck am Kopf kraule, spüre ich zwar etwas Warmes, Vibrierendes, darunter aber immer eine leichte Erregung: Die Fressenszeit, die schon zu nah oder noch zu fern ist, die Sehnsucht nach dir oder auch nur die Erinnerung an einen bösen Traum. Verstehst du? Der Hund hat, wie der Mensch, zu viele Sorgen, zu viele Bedürfnisse. Ob er ruhig und glücklich sein kann, hängt nie von ihm alleine ab.

Beim Baum dagegen ist das anders. Von dem Augenblick an, in dem er aus der Erde sprießt, bis zu seinem Tod bleibt er immer an derselben Stelle. Mit seinen Wurzeln ist er dem Herzen der Erde näher als jedes andere Ding, mit seiner Krone ist er dem Himmel am nächsten. Der Saft strömt durch sein Inneres, von oben nach unten, von unten nach oben. Er dehnt sich aus und nimmt sich zurück, je nach dem Licht des Tages. Er wartet auf den Regen, er wartet auf die Sonne, er wartet auf die eine Jahreszeit, dann auf die nächste, er wartet auf den Tod. Nichts von dem, was es ihm ermöglicht zu leben, hängt von seinem Willen ab. Er ist da und Schluß. Verstehst du jetzt, warum es schön ist, Bäume zu streicheln? Wegen ihrer Festigkeit, wegen ihres Atems, der so lang, so ruhig, so tief ist. Irgendwo in der Bibel steht geschrieben, Gott habe große Nasenlöcher. Auch wenn es ein wenig unehrerbietig ist, ist mir doch jedesmal, wenn ich versuchte, mir den Anblick des göttlichen Wesens vorzustellen, das Bild einer Eiche in den Sinn gekommen.

Zu Hause, im Garten meiner Kindheit, gab es eine Eiche, sie war so groß, daß zwei Leute nötig waren, um ihren Stamm zu umfassen. Schon mit vier oder fünf Jahren ging ich gern zu ihr. Ich setzte mich darunter, spürte die Feuchtigkeit des Grases unter meinem Po, den kühlen Wind in den Haaren und auf dem Gesicht. Ich atmete und wußte, daß es eine höhere Ordnung der Dinge gab und daß ich, zusammen mit allem, was ich sah, in jener Ordnung enthalten war. Obwohl ich nichts von Musik verstand, sang etwas in mir. Ich wüßte nicht zu sagen, was für ein Lied es war, es gab weder einen Refrain noch eine bestimmte Melodie. Es war vielmehr, als bliese in der Gegend meines Herzens ein Blasebalg in regelmäßigem, mächtigem Rhythmus, und als erzeuge dieser Luftstrom, indem er sich im ganzen Körper und im Geist ausbreitete, ein helles Licht, ein Licht von zweierlei Wesensart: seiner eigenen, der des Lichts, und der der Musik. Ich war glücklich, daß ich existierte, und außer diesem Glück gab es nichts mehr für mich.

Es mag dir seltsam oder übertrieben erscheinen, daß ein Kind so etwas erahnen kann. Leider sind wir gewohnt, die Kindheit als eine Zeit der Blindheit, des Mangels zu betrachten, und nicht als eine Phase größeren Reichtums. Dennoch würde es genügen, mit Aufmerksamkeit die Augen eines Neugeborenen anzusehen, um sich klarzumachen, daß es genau so ist. Hast du das je getan? Versuch's mal, wenn sich dir eine Gelegenheit bietet. Schieb die Vorurteile im Geist beiseite und beobachte es. Wie ist sein Blick? Leer, unbewußt? Oder uralt, fern und wissend? Die Kinder haben von Natur aus einen weiteren Atem in sich, wir Erwachsenen sind es, die ihn verloren haben und uns nicht damit abfinden können. Mit vier, fünf Jahren wußte ich noch nichts von Religion, von Gott, von all dem Durcheinander, das die Menschen angerichtet haben, indem sie über diese Dinge sprachen.

Weißt du, als es darum ging zu entscheiden, ob du in der Schule den Religionsunterricht besuchen solltest oder nicht, war ich lange sehr unentschlossen. Auf der einen Seite erinnerte ich mich daran, wie schlimm für mich der Zusammenstoß mit den Dogmen gewesen war, andererseits war ich fest überzeugt, daß man bei der Erziehung nicht nur an den Verstand, sondern auch an den Geist denken müsse. Die Lösung kam von selbst, am selben Tag, an dem dein erster Hamster starb. Du hieltest ihn in der Hand und sahst mich ratlos an. »Wo ist er jetzt?« hast du mich gefragt. Ich habe dir geantwortet, indem ich dir die Frage zurückgab: »Was meinst du denn, wo er jetzt ist?« Weißt du noch, was du geantwortet hast: »Er ist an zwei Orten. Ein bißchen hier und ein bißchen oben in den Wolken.« Noch am selben Nachmittag haben wir ihn mit einer kleinen Beerdigungsfeier begraben. Vor dem Erdhäufchen kniend, hast du dein Gebet gesprochen: »Sei glücklich, Tony. Eines Tages werden wir uns wiedersehen.«

Vielleicht habe ich es dir nie erzählt, aber die ersten fünf Schuljahre habe ich bei den Nonnen verbracht, im Institut vom Heiligen Herz Jesu. Das war kein geringer Schaden für meinen sowieso nicht sehr gefestigten Geist, glaub mir. Im Eingang hatten die Nonnen eine große Weihnachtskrippe aufgebaut, die das ganze Jahr über stehenblieb. Da war Jesus im Stall mit dem Vater und der Mutter und Ochs und Esel, und rundherum Berge und Steilhänge aus Pappmaché, die nur von einer Herde Schäflein bevölkert waren. Jedes Schäflein stand für eine Schülerin, und je nach ihrem Betragen im Laufe des Tages wurde es von Jesus' Stall weggerückt oder ihm angenähert. Jeden Morgen, bevor wir in die Klasse gingen, kamen wir dort vorbei und mußten uns ansehen, welchen Platz wir einnahmen. Gegenüber dem Stall lag eine tiefe Schlucht, und dort standen die Allerschlimmsten, mit zwei Hufen schon über dem Abgrund. Vom sechsten bis zehnten Lebensjahr war mein Leben davon bestimmt, welche Schritte mein Schäflein machte. Und ich brauche wohl nicht eigens zu erwähnen, daß es sich fast nie vom Rand des Abgrunds wegbewegte.

Innerlich versuchte ich mit all meiner Willenskraft, die Gebote zu befolgen, die man mich gelehrt hatte. Ich tat es aus dem normalen Anpassungsdrang heraus, den alle Kinder haben, aber nicht nur: Ich war wirklich überzeugt, daß man gut sein müsse, nicht lügen sollte, nicht eitel sein dürfte. Dennoch war ich immer nahe daran, herunterzufallen. Warum? Wegen Nichtigkeiten. Wenn ich in Tränen aufgelöst zur Mutter Oberin ging, um sie nach dem Grund eines neuerlichen Weggerücktwerdens zu fragen, antwortete sie: »Weil du gestern eine zu große Schleife im Haar hattest... Weil eine Kameradin dich beim Verlassen der Schule summen hörte... Weil du dir vor dem Essen nicht die Hände gewaschen hast.« Verstehst du? Noch einmal bestand meine Schuld aus Äußerlichkeiten, aus den gleichen Dingen, die meine Mutter mir vorhielt. Wir wurden nicht zu Konsequenz, sondern zum Konformismus erzogen. Eines Tages, als ich am äußersten Rand des Abgrunds angekommen war, fing ich an zu schluchzen und sagte: »Aber ich liebe Jesus doch.« Und weißt du, was die Schwester, die bei uns war, daraufhin sagte? »Ah, außer daß du unordentlich bist, lügst du auch noch. Wenn du Jesus wirklich liebhättest, würdest du deine Hefte besser in Ordnung halten.« Und peng, gab sie meinem Schäfchen mit dem Zeigefinger einen Schubs, so daß es in den Abgrund stürzte.

Nach diesem Vorfall habe ich, glaube ich, zwei ganze

Monate lang nicht geschlafen. Kaum schloß ich die Augen, fühlte ich, wie sich der Bezug der Matratze unter meinem Rücken in Flammen verwandelte und gräßliche Stimmen in mir höhnten: »Warte nur, gleich holen wir dich!« Natürlich habe ich meinen Eltern von all dem nie etwas erzählt. Als meine Mutter sah, wie gelb im Gesicht und nervös ich war, sagte sie: »Das Kind ist erschöpft«, und ohne mit der Wimper zu zucken schluckte ich Löffel um Löffel voll Stärkungsmittel.

Wer weiß, wie viele empfindsame und intelligente Menschen sich dank Vorfällen dieser Art für immer von den Fragen des Geistes entfernt haben. Jedesmal, wenn ich jemanden sagen höre, wie schön doch die Schulzeit gewesen sei, und wie er sich danach zurücksehne, wundere ich mich. Für mich waren diese Jahre mit die schlimmsten meines Lebens, vielleicht sogar die schlimmsten überhaupt, wegen des ständigen Gefühls der Ohnmacht. Die gesamte Dauer der Grundschule war ich unbändig hin und her gerissen zwischen dem Willen, dem treu zu bleiben, was ich in mir fühlte, und dem Wunsch, dem nachzueifern, was die anderen glaubten, obwohl ich ahnte, daß es falsch war.

Es ist seltsam, aber wenn ich jetzt die Gefühle jener Zeit noch einmal durchlebe, habe ich den Eindruck, daß meine große Wachstumskrise nicht, wie es immer geschieht, in der Pubertät stattgefunden hat, sondern in jenen Kindheitsjahren. Mit zwölf, dreizehn, vierzehn Jahren besaß ich schon eine traurige Unerschütterlichkeit. Die großen metaphysischen Fragen waren allmählich in den Hintergrund getreten, um neuen, harmlosen Phantasien Platz zu machen. Sonntags und zu den hohen kirchlichen Feiertagen ging ich mit meiner Mutter in die Messe, kniete mit zerknirschtem Ausdruck nieder, um die Hostie in Empfang zu nehmen, doch während ich es tat, dachte ich an andere Dinge; es war nur eine der vielen kleinen Rollen, die ich spielen mußte, um in Ruhe leben zu können. Deshalb habe ich dich nicht am Religionsunterricht teilnehmen lassen und es auch nie bereut. Als du mir in deiner kindlichen Neugier Fragen über das Thema stelltest, versuchte ich, dir auf direkte und unbeschwerte Art zu antworten und dabei das Geheimnis zu achten, das in jedem von uns ist. Und als du mir keine Fragen mehr stelltest, habe ich ohne Aufhebens aufgehört, darüber zu reden. Man darf, was diese Dinge angeht, weder drängen noch zerren, sonst geschieht genau das gleiche, was den fliegenden Händlern passiert. Je mehr sie ihr Produkt anpreisen, um so mehr kommt einem der Verdacht, daß es sich um Betrug handelt. Ich habe bei dir nur versucht, nicht zu ersticken, was schon da war. Im übrigen habe ich abgewartet.

Glaub aber nicht, mein Weg sei so leicht gewesen; auch wenn ich mit vier Jahren den Atem ahnte, der die Dinge umweht, hatte ich ihn doch mit sieben schon wieder vergessen. In der ersten Zeit hörte ich noch die Musik, das stimmt, sie war im Hintergrund, aber sie war noch da. Sie klang wie ein Gebirgsbach in einer Klamm, wenn ich still und aufmerksam lauschte, konnte ich oben am Rand der Schlucht sein Murmeln vernehmen. Dann hat sich der Gebirgsbach in ein altes Radio verwandelt, in ein Radio, das gerade kaputtgeht. Einmal brach die Musik viel zu laut hervor, dann war sie wieder ganz weg.

Mein Vater und meine Mutter ließen keine Gelegenheit aus, um mir meine Singgewohnheit vorzuwerfen. Einmal beim Mittagessen bekam ich sogar eine Ohrfeige – meine erste Ohrfeige –, weil mir ein »Trallala« herausgerutscht war. »Bei Tisch singt man nicht«, hatte mein Vater gedonnert. »Man singt nicht, wenn man kein Sänger ist«, hatte meine Mutter bekräftigt. Ich weinte und sagte immer wieder unter Tränen: »Aber es singt in mir.« Alles, was sich von der konkreten stofflichen Welt löste, war für meine Eltern vollkommen unverständlich. Wie hätte es mir da möglich sein sollen, meine Musik zu bewahren? Mein Schicksal hätte mindestens das einer Heiligen sein müssen. Es war aber vielmehr das grausame Schicksal der Normalität.

Ganz allmählich ist die Musik verstummt, und mit ihr das Gefühl tiefer Freude, das mich in den ersten Jahren begleitet hatte. Der Freude habe ich am allermeisten nachgetrauert, weißt du. Später bin ich auch glücklich gewesen, gewiß, aber das Glück verhält sich zur Freude wie eine elektrische Lampe zur Sonne. Das Glück hat immer einen Gegenstand, man ist über etwas glücklich, es ist ein Gefühl, dessen Auftreten von etwas Äußerem abhängt. Die Freude dagegen hat keinen Gegenstand. Sie kommt ohne jeden ersichtlichen Grund über dich, sie gleicht in ihrem Wesen der Sonne, leuchtet dank der Verbrennung ihres eigenen Herzens.

Im Lauf der Jahre habe ich mich selbst aufgegeben, mein tiefstes Inneres, um eine andere zu werden, so wie meine Eltern es erwarteten. Ich habe meine Persönlichkeit aufgegeben, um einen Charakter anzunehmen. Charakter, das wirst du noch merken, wird in der Welt viel mehr geschätzt als Persönlichkeit.

Aber im Gegensatz zu dem, was immer angenommen wird, vertragen Charakter und Persönlichkeit sich nicht, meistens schließen sie sich sogar gegenseitig aus. Meine Mutter, zum Beispiel, hatte einen starken Charakter, sie war sich jeder ihrer Handlungen sicher, und es gab nichts, absolut nichts, was diese Sicherheit erschüttern konnte. Ich war das genaue Gegenteil von ihr. Im täglichen Leben gab es nichts, das meine Begeisterung erregte. Vor jeder Entscheidung schwankte und zögerte ich so lange, daß schließlich diejenigen, die bei mir waren, die Geduld verloren und für mich entschieden.

Glaub nicht, es sei ein natürlicher Prozeß gewesen, die Persönlichkeit abzustreifen, um so zu tun, als hätte ich einen Charakter. Etwas tief in mir lehnte sich weiter dagegen auf, ein Teil wünschte sich, weiter ich selbst zu sein, während der andere, um geliebt zu werden, sich den Erfordernissen der Welt anpassen wollte. Welch harter Kampf! Ich haßte meine Mutter, ihre oberflächliche, leere Art. Ich haßte sie, und doch wurde ich allmählich und gegen meinen Willen ganz genau wie sie. Das ist die große und schreckliche Erpressung der Erziehung, der man fast nicht entgehen kann. Kein Kind kann ohne Liebe leben. Deshalb paßt man sich dem verlangten Modell an, auch wenn es einem überhaupt nicht gefällt und man es nicht richtig findet. Und dieser Mechanismus verschwindet auch im Erwachsenenalter nicht. Kaum bist du Mutter, wird er wieder wirksam, ohne daß du es merkst oder willst, beeinflußt er erneut deine Handlungen. So war ich, als deine

Mutter geboren wurde, absolut sicher, daß ich mich anders verhalten würde. Und das habe ich auch getan, aber dieses andere war unecht, nur an der Oberfläche. Um deiner Mutter kein Vorbild aufzuzwingen, wie man es mir noch vor der Zeit aufgezwungen hatte, habe ich sie immer frei wählen lassen, ich wollte, daß sie sich in allen ihren Handlungen angenommen fühlt, und wiederholte ihr immerzu: »Wir sind zwei verschiedene Menschen und müssen uns in der Verschiedenheit achten.«

In all dem war ein Fehler, ein schwerer Fehler. Und weißt du, welcher? Mein Mangel an Identität. Obwohl ich nun erwachsen war, fehlte mir jede Sicherheit. Es gelang mir nicht, mich zu lieben, mich zu schätzen. Dank des ausgeprägten und jede Gelegenheit wahrnehmenden Spürsinns, der die Kinder auszeichnet, merkte deine Mutter das sofort: Sie fühlte, daß ich schwach, zerbrechlich, leicht zu überwältigen war. Das Bild, das mir einfällt, wenn ich an unsere Beziehung denke, ist das eines Baums und seiner Schmarotzerpflanze. Der Baum ist älter, höher, er steht schon lange da und hat tiefere Wurzeln. Die Pflanze sprießt zu seinen Füßen, in nur einem Sommer, ihre Wurzeln sind eher wie Fäden, dringen kaum in die Erde ein. An jedem dieser Fäden sind kleine Saugnäpfe, und damit rankt sie sich am Stamm empor. Nach ein, zwei Jahren ist sie schon hoch oben in der Krone angekommen. Während ihr Wirt die Blätter verliert, bleibt sie grün. Sie breitet sich immer weiter aus, klammert sich fest, überwuchert ihn vollkommen, und Sonne und Regen treffen nur noch sie. Da verdorrt der Baum und stirbt, der Stamm dient nur noch als elendes Gerüst für die Kletterpflanze.

Nach ihrem tragischen Ende habe ich mehrere Jahre nicht mehr an sie gedacht. Manchmal wurde mir bewußt, daß ich sie vergessen hatte, und ich beschuldigte mich der Grausamkeit. Ich mußte mich um dich kümmern, das stimmt, aber ich glaube nicht, daß das der wahre Grund war, oder vielleicht nur zum Teil. Das Gefühl der Niederlage war zu groß, um es eingestehen zu können. Erst in den letzten Jahren, als du anfingst, dich zu entfernen und deinen eigenen Weg zu suchen, ist mir der Gedanke an deine Mutter wieder in den Sinn gekommen und hat angefangen, mich zu bedrängen. Am meisten bereue ich, daß ich nie den Mut hatte, ihr zu widersprechen, daß ich nie zu ihr gesagt habe: »Du täuschst dich gewaltig, du bist dabei, eine Dummheit zu begehen.« Ich fühlte, daß die Schlagworte, die sie benützte, überaus gefährlich waren, es ging um Dinge, die ich, zu ihrem eigenen Besten, sofort hätte unterbinden müssen, und doch hielt ich mich zurück und griff nicht ein. Das hatte nichts mit Trägheit zu tun. Die Dinge, über die wir diskutierten, waren wesentlich. Was mich so handeln – oder besser gesagt nicht handeln – ließ, war die Einstellung, die meine Mutter mir beigebracht hatte. Um geliebt zu werden, mußte ich den Zusammenstoß vermeiden, so tun, als wäre ich jemand, der ich nicht war. Ilaria war auf natürliche Weise überheblich, sie hatte mehr Charakter, und ich fürchtete die offene Auseinandersetzung, ich hatte Angst zu widersprechen. Hätte ich sie wirklich geliebt, hätte ich mich empören, sie hart anfassen müssen; ich hätte sie zwingen müssen, Dinge ganz oder gar nicht zu tun. Vielleicht war es genau das, was sie wollte, was sie gebraucht hätte.

Wer weiß, warum die elementaren Wahrheiten am schwersten zu verstehen sind? Wenn ich damals begriffen hätte, daß die Haupteigenschaft der Liebe die Kraft ist, wären die Ereignisse wahrscheinlich anders verlaufen. Aber um stark zu sein, muß man sich selbst lieben; um sich selbst zu lieben, muß man sich von Grund auf kennen, alles von sich wissen, auch die verborgensten Dinge, die am schwersten zu akzeptieren sind. Wie schafft man es, eine derartige Entwicklung zu vollziehen, während das Leben dich mit seinem Lärm weiterschleift? Nur wer von Anfang an mit außergewöhnlichen Gaben ausgestattet ist, kann so etwas. Den gewöhnlichen Sterblichen, den Menschen wie mir, wie deine Mutter, bleibt nichts als das Schicksal der Blätter und der Plastikflaschen. Jemand – oder der Wind – wirft dich plötzlich in einen Fluß, und dank des Stoffes, aus dem du bestehst, schwimmst du, anstatt unterzugehen; schon das erscheint dir wie ein Sieg und sofort läßt du dich treiben, gleitest rasch in der Richtung dahin, in die der Strom dich trägt; ab und zu bist du wegen eines Wurzelknotens oder eines Steins zu einer Pause gezwungen, das Wasser zerrt eine Weile an dir, dann steigt es wieder und du befreist dich, schwimmst weiter; wenn der Fluß ruhig dahinfließt, schwimmst du oben, wenn Stromschnellen kommen, zieht es dich hinunter; du weißt nicht, wohin du unterwegs bist, und hast es dich auch nie gefragt; auf den ruhigeren Strecken kannst du die Landschaft sehen, die Böschungen, die Sträucher; mehr denn Einzelheiten siehst du die Formen, die Art der Farben, du bist zu schnell, um noch mehr zu erkennen; dann, mit der Zeit und der wachsenden Entfernung, werden die

Böschungen flacher, der Fluß breiter, er hat noch Ufer, aber nicht mehr lange. »Wohin komme ich?« fragst du dich daraufhin, und genau in dem Augenblick öffnet sich vor dir das Meer.

Ein großer Teil meines Lebens war so. Ich zappelte mehr, als daß ich schwamm. Mit unsicheren, ziellosen Bewegungen ohne Anmut und Freude gelang es mir gerade eben, mich über Wasser zu halten.

Warum ich dir das alles schreibe? Was diese langen und zu intimen Geständnisse bedeuten? Vielleicht hast du es längst satt, hast schnaubend eine Seite nach der anderen umgeblättert. Worauf will sie hinaus, wirst du dich gefragt haben, wo führt sie mich hin? Es stimmt, ich schweife ab; anstatt auf der Hauptstraße zu bleiben, biege ich oft und gern in schmale Seitenpfade ein. Ich mache den Eindruck, als hätte ich mich verirrt, und vielleicht ist es nicht nur ein Eindruck, sondern ich habe mich wirklich verirrt. Aber so ist der Weg, zu dem man das braucht, was du so sehr suchst: eine innere Mitte.

Weißt du noch, als ich dir beibrachte, wie man Crêpes macht? Wenn du sie in die Luft wirfst, sagte ich zu dir, mußt du an alles denken außer daran, daß sie schön glatt wieder in die Pfanne zurückfallen sollen. Wenn du nur ihre Flugbahn im Sinn hast, kannst du sicher sein, daß sie zusammengeklappt aufkommen oder direkt auf dem Herd landen. Es ist komisch, aber es ist die Ablenkung, die die Dinge zu ihrer Mitte, zu ihrem Herzen kommen läßt.

Anstelle des Herzens meldet sich jetzt der Magen zu Wort. Er knurrt, und er hat recht, denn über einer Crêpe und einer Reise auf dem Fluß ist es Zeit zum Abendessen geworden. Jetzt muß ich dich verlassen, aber vorher schicke ich dir noch einen weiteren verhaßten Kuß.

Der gestrige Wind hat ein Opfer gefordert, ich fand es heute morgen bei meinem gewohnten Spaziergang durch den Garten. Fast als hätte es mein Schutzengel mir eingeflüstert, bin ich nicht wie immer einfach einmal ums Haus gegangen, sondern ganz nach hinten, bis dorthin, wo früher einmal der Hühnerstall stand und wo jetzt der Komposthaufen ist. Und während ich an dem Mäuerchen entlangging, das uns von Walters Familie trennt, bemerkte ich etwas Dunkles auf dem Boden. Es hätte ein Pinienzapfen sein können, war es aber nicht, denn es bewegte sich in ziemlich regelmäßigen Abständen. Ich hatte das Haus ohne Brille verlassen, und erst als ich mich direkt darüberbeugte, erkannte ich, daß es sich um eine junge Amsel handelte. Bei dem Versuch, sie zu fangen, hätte ich mir um ein Haar den Oberschenkel gebrochen. Immer, wenn ich sie fast erwischt hatte, machte sie einen kleinen Satz nach vorn. Wäre ich jünger gewesen, hätte ich sie im Handumdrehen gehabt, aber mittlerweile bin ich einfach zu langsam. Zum Schluß ist mir ein genialer Einfall gekommen, ich habe mein Kopftuch abgenommen und es über sie geworfen. Darin eingewickelt habe ich sie ins Haus getragen und in einer alten Schuhschachtel untergebracht, die ich innen mit alten Lappen ausgepolstert habe, in den Deckel habe ich Löcher gebohrt, eins davon so groß, daß sie den Kopf durchstecken konnte.

Während ich schreibe, steht sie hier vor mir auf dem

Tisch. Ich habe sie noch nicht gefüttert, weil sie noch zu aufgeregt ist. Wenn ich sie so sehe, werde ich selbst ganz aufgeregt, ihr verängstigter Blick bringt mich in Verlegenheit. Wenn jetzt eine Fee herabschwebte und mit ihrem blendenden Glanz zwischen Kühlschrank und Kohleherd erschiene, weißt du, worum ich sie dann bitten würde? Ich würde mir den Ring von König Salomon wünschen, den Zauberring, der es einem ermöglich, mit allen Tieren der Welt zu sprechen. Dann könnte ich zu der Amsel sagen: »Mach dir keine Sorgen, mein Kleines, ich bin zwar ein Mensch, aber von den besten Absichten beseelt. Ich werde dich pflegen, dich füttern, und wenn du wieder gesund bist, werde ich dich wieder fliegen lassen.«

Aber kommen wir zu uns. Gestern haben wir uns in der Küche verabschiedet, mit meinem prosaischen Gleichnis von den Crêpes. Ziemlich sicher hat dich das geärgert. Wenn man jung ist, denkt man immer, daß man für die großen Dinge – um sie zu beschreiben – noch größere, hochtrabende Worte braucht. Kurz vor deiner Abreise hast du mir einmal einen Brief unter das Kopfkissen gelegt, in dem du versuchtest, mir dein ganzes Unbehagen zu erklären. Da du ja jetzt weit weg bist, kann ich dir sagen, daß ich von diesem Brief, außer eben dem Gefühl von Unbehagen, überhaupt nichts verstanden habe. Alles war so verworren, so dunkel. Ich bin eine einfache Person, die Zeit, der ich angehöre, ist anders als die, der du angehörst: Wenn etwas weiß ist, sage ich, daß es weiß ist, wenn es schwarz ist, sage ich, daß es schwarz ist. Die Lösung der Probleme ergibt sich aus der täglichen Erfahrung, daraus, daß man die Dinge so sieht, wie sie wirklich sind, und nicht so, wie sie, nach Meinung von jemand anderem, sein müßten. In dem Moment, in dem man beginnt, den Ballast abzuwerfen, das auszusondern, was nicht zu uns gehört, was von außen kommt, ist man schon auf dem richtigen Weg. Sehr oft habe ich den Eindruck, daß die Sachen, die du liest, dich verwirren, anstatt dir zu helfen, daß sie Schwärze um sich verbreiten wie Tintenfische auf der Flucht.

Vor der Entscheidung über deine Abreise hattest du mich vor eine Alternative gestellt. Entweder wolltest du ein Jahr ins Ausland gehen oder eine Psychoanalyse anfangen. Meine Reaktion war hart, weißt du noch? Meinetwegen kannst du auch drei Jahre wegbleiben, habe ich zu dir gesagt, aber zu einem Psychoanalytiker lasse ich dich kein einziges Mal, das erlaube ich nicht, auch wenn du es selbst bezahlen würdest. Du warst sehr betroffen von meiner überaus scharfen Reaktion. Im Grunde genommen glaubtest du, mir mit der Psychoanalyse ein geringeres Übel vorzuschlagen. Auch wenn du in keiner Weise aufbegehrtest, stelle ich mir vor, daß du gedacht hast, ich sei zu alt, um diese Dinge zu verstehen, oder nicht auf dem laufenden. Doch du irrst dich. Von Freud hatte ich schon als Kind reden hören. Einer der Brüder meines Vaters war Arzt, und da er in Wien studiert hatte, war er sehr früh mit Freuds Theorien in Berührung gekommen. Er war begeistert davon, und jedesmal, wenn er zu uns zum Mittagessen kam, versuchte er, meine Eltern von ihrer Bedeutung zu überzeugen. »Du wirst mir doch nicht einreden wollen, daß ich Angst vor dem Tod habe, wenn ich träume, daß ich Spaghetti esse«, donnerte meine Mutter dann. »Wenn ich von Spaghetti träume, bedeutet das nur eines, nämlich daß ich Hunger habe.« Vergeblich versuchte mein Onkel, ihr zu erklären, daß ihre Uneinsichtigkeit von einer Verdrängung herrühre, daß ihre Furcht vor dem Tod unverkennbar sei, denn die Spaghetti seien ja nichts anderes als Würmer, und zu Würmern würden wir ja eines Tages allesamt werden. Weißt du, was meine Mutter dann entgegnete? Nach einem Augenblick des Schweigens kreischte sie mit ihrer Sopranstimme: »Und wenn ich nun von Makkaroni träume?«

Meine Begegnungen mit der Psychoanalyse beschränken sich jedoch nicht auf dieses Kindheitserlebnis. Deine Mutter hat sich fast zehn Jahre lang von einem Psychoanalytiker – oder von einem, der sich dafür hielt – behandeln lassen, bis zu ihrem Tod ging sie zu ihm, und so konnte ich, wenn auch indirekt, die gesamte Entwicklung der Beziehung Tag für Tag mitverfolgen. Am Anfang erzählte sie mir, ehrlich gesagt, nichts, diese Dinge unterliegen, wie du weißt, der Schweigepflicht. Was mich jedoch sofort – und zwar negativ – beeindruckt hat, war das unmittelbare und allumfassende Abhängigkeitsgefühl. Schon nach einem Monat drehte sich ihr ganzes Leben um diesen Termin, darum, was in der einen Stunde zwischen ihr und diesem Herrn geschah. Eifersucht, wirst du sagen. Vielleicht, schon möglich, aber das war nicht die Hauptsache; was mich bedrückte, war eher das Unbehagen, sie wieder als Sklavin einer neuen Abhängigkeit zu sehen, zuerst die Politik und dann die Beziehung zu diesem Herrn. Ilaria hatte ihn im letzten Jahr ihres Aufenthalts in Padua kennengelernt, und dorthin fuhr sie dann auch jede

Woche. Als sie mir ihre neue Beschäftigung mitteilte, war ich ein wenig ratlos und fragte sie: »Glaubst du denn, daß es wirklich nötig ist, bis nach Padua zu fahren, um einen guten Arzt zu finden?«

Einerseits empfand ich Erleichterung bei ihrer Entscheidung, einen Arzt aufzusuchen, um aus ihrem Zustand ständiger Krise herauszukommen. Im Grunde, sagte ich mir, war es schon ein Fortschritt, wenn Ilaria sich dazu entschlossen hatte, jemanden um Hilfe zu bitten; andererseits jedoch war ich, da ich ihre Anfälligkeit ja kannte, in Sorge wegen der Person, der sie sich anvertraut hatte. Sich in jemand anderes Kopf hineinzuversetzen erfordert immer äußerstes Zartgefühl. »Wie hast du ihn gefunden?« fragte ich sie. »Hat ihn dir jemand empfohlen?« Doch sie zuckte als Antwort nur mit den Schultern. »Was verstehst du schon davon?« sagte sie und brach die Unterredung mit einem überheblichen Lächeln ab.

Obwohl sie in Triest in einer eigenen Wohnung lebte, kam sie gewöhnlich wenigstens einmal in der Woche zum Mittagessen zu mir. Seit dem Beginn der Therapie waren unsere Gespräche bei diesen Gelegenheiten immer von großer und gewollter Oberflächlichkeit gewesen. Wir sprachen von den Ereignissen in der Stadt, vom Wetter; wenn das Wetter schön und in der Stadt nichts los war, schwiegen wir fast die ganze Zeit.

Schon nach ihrer dritten oder vierten Fahrt nach Padua bemerkte ich jedoch eine Veränderung. Anstatt daß wir beide über Nichtigkeiten redeten, stellte sie mir jetzt Fragen: Sie wollte alles über die Vergangenheit wissen, über mich, über ihren Vater, über unsere Beziehung. Es war keine Zuneigung in ihren Fragen, keine Neugier: Der Ton war der eines Verhörs; sie wiederholte die Frage mehrmals, beharrte auf winzigen Einzelheiten, zweifelte Episoden an, die sie selbst erlebt hatte und an die sie sich genau erinnerte; mir war, als redete ich nicht mit meiner Tochter, in diesen Augenblicken, sondern mit einem Kommissar, der mir um jeden Preis das Geständnis eines Verbrechens abringen wollte. Eines Tages verlor ich die Geduld und sagte zu ihr: »Sag mir endlich klar und deutlich, worauf du hinauswillst.« Sie sah mich mit einem leicht ironischen Blick an, nahm eine Gabel, klopfte damit an das Glas, und als das Glas *kling* machte, sagte sie: »Auf das, womit alles anfing. Ich will wissen, wann und warum ihr mir die Flügel gestutzt habt, du und dein Mann.«

Dieses Mittagessen war das letzte, an dem ich mich von ihr ins Kreuzverhör nehmen ließ; schon in der folgenden Woche sagte ich ihr am Telefon, sie könne gern kommen, aber unter einer Bedingung, nämlich daß zwischen uns nicht ein Prozeß, sondern ein Gespräch stattfinde.

Ob ich ein schlechtes Gewissen hatte? Natürlich hatte ich ein schlechtes Gewissen, ich hätte über sehr viele Dinge mit Ilaria sprechen müssen, aber es erschien mir weder richtig noch heilsam, derart heikle Sachen unter dem Druck eines Verhörs zu enthüllen; hätte ich ihr Spiel mitgespielt, wäre ich, anstatt eine neue Beziehung zwischen zwei erwachsenen Menschen herzustellen, nur für immer schuldig gewesen, und sie für immer das Opfer, ohne eine Möglichkeit der Erlösung.

Viele Monate später sprach ich wieder einmal mit ihr über ihre Therapie. Sie ging unterdessen mit ihrem Doktor ganze Wochenenden lang in Klausur; sie hatte stark abgenommen und redete oft fast wie im Fieber, was ich vorher nie bei ihr bemerkt hatte. Ich erzählte ihr vom Bruder ihres Großvaters, von dessen erster Berührung mit der Psychoanalyse, und fragte sie dann ganz unverfänglich: »Zu welcher Schule gehört dein Analytiker?« – »Zu keiner«, antwortete sie, »oder besser gesagt zu einer, die er selbst gegründet hat.«

Von dem Augenblick an wurde das, was nur eine leichte Beunruhigung gewesen war, echte tiefe Sorge. Es gelang mir, den Namen des Arztes herauszufinden, und bei einer kurzen Überprüfung entdeckte ich auch, daß er keineswegs Arzt war. Die Hoffnungen, die ich am Anfang auf die Wirkung der Therapie gesetzt hatte, brachen mit einem Schlag zusammen. Natürlich war es nicht das Fehlen des Titels an sich, das mich mißtrauisch machte, sondern das Fehlen des Titels zusammen mit der Feststellung, daß Ilarias Zustand sich ständig verschlechterte. Wenn die Behandlung etwas taugte, dachte ich, müßte nach einer anfänglichen Phase des Schlechtgehens allmählich eine Besserung eintreten; zwischen Zweifeln und Rückfällen müßte sich langsam die Erkenntnis einen Weg bahnen. Ilaria dagegen hatte nach und nach aufgehört, sich für das zu interessieren, was sie umgab. Sie war nun schon seit mehreren Jahren mit dem Studium fertig und tat nichts, sie hatte sich von ihren wenigen Freunden entfernt, und ihre einzige Tätigkeit bestand darin, mit der Besessenheit eines Insektenforschers ihre inneren Regungen zu beobachten. Die Welt drehte sich um das, was sie in der Nacht geträumt hatte, um einen Satz, den ich oder ihr Vater zwanzig Jahre zuvor zu ihr gesagt hatten. Ich fühlte mich angesichts dieses Zerfalls ihres Lebens völlig ohnmächtig.

Erst drei Sommer später zeigte sich für einige Wochen ein Hoffnungsschimmer. Kurz nach Ostern hatte ich ihr vorgeschlagen, eine gemeinsame Reise zu unternehmen; zu meiner großen Überraschung hatte Ilaria den Gedanken nicht von vornherein abgelehnt, sondern, von ihrem Teller aufsehend, gesagt: »Wo könnten wir denn hinfahren?« – »Ich weiß nicht«, hatte ich geantwortet, »wohin du willst, an jeden Ort, an den wir gern möchten.«

Noch am selben Nachmittag warteten wir ungeduldig auf die Öffnung der Reisebüros. Wochenlang klapperten wir sie der Reihe nach ab auf der Suche nach etwas, das uns gefallen könnte. Zum Schluß entschieden wir uns für Griechenland – Kreta und Santorin –, Ende Mai. Die praktischen Dinge, die wir vor der Abreise erledigen mußten, bescherten uns ein Gefühl der Zusammengehörigkeit, wie wir es vorher noch nie gehabt hatten. Sie war wie besessen vom Kofferpacken, von der Angst, etwas von grundlegender Wichtigkeit zu vergessen; um sie zu beruhigen, kaufte ich ihr ein Heftchen: »Schreib alles hinein, was du brauchst«, sagte ich zu ihr, »und wenn du es eingepackt hast, machst du ein Kreuzchen daneben.«

Abends, beim Schlafengehen, bedauerte ich, nicht eher daran gedacht zu haben, daß eine gemeinsame Reise eine ausgezeichnete Möglichkeit war, die Beziehung wiederherzustellen. Am Freitag vor der Abreise rief Ilaria mich mit metallischer Stimme an, ich glaube von unterwegs, aus einer Telefonzelle. »Ich muß nach Padua«, sagte sie, »ich komme spätestens Dienstagabend zurück.«

»Mußt du unbedingt?« fragte ich, aber sie hatte schon eingehängt.

Bis zum Donnerstag hörte ich nichts mehr von ihr. Um zwei Uhr klingelte das Telefon, ihr Ton schwankte zwischen Härte und Bedauern. »Es tut mir leid«, sagte sie, »aber ich komme doch nicht mit nach Griechenland.« Sie wartete auf meine Reaktion, ich wartete auch darauf. Nach einigen Sekunden antwortete ich: »Mir tut es ebenfalls sehr leid. Aber ich fahre trotzdem.«

Sie verstand meine Enttäuschung und versuchte, sich zu rechtfertigen: »Wenn ich mitfahre, laufe ich vor mir selber davon«, flüsterte sie.

Wie du dir vorstellen kannst, waren es sehr traurige Ferien, ich bemühte mich, den Fremdenführern zu folgen, mich für die Landschaft, die Archäologie zu interessieren; aber in Wirklichkeit dachte ich nur an deine Mutter, wohin ihr Leben sich entwickelte.

Ilaria, sagte ich mir, ähnelt einem Bauern, den, nachdem er seinen Garten angebaut und die ersten Pflänzchen hat sprießen sehen, die Furcht überkommt, sie könnten Schaden nehmen. Also kauft er, um sie vor allen Unbilden zu schützen, eine schöne wasser- und winddichte Plastikplane und spannt sie darüber; um die Blattläuse und die Larven fernzuhalten, besprüht er die Pflänzchen mit reichlich Insektenvertilgungsmittel. Er arbeitet pausenlos, es gibt keinen Augenblick der Nacht oder des Tages, an dem er nicht an den Garten denkt und daran, wie er ihn schützen kann. Dann, eines Morgens, als er die Plane hochhebt, erlebt er die häßliche Überraschung, daß die Pflänzchen alle verfault sind, abgestorben. Hätte er sie frei wachsen lassen, wären einige trotzdem gestorben, aber andere hätten überlebt. Neben den von ihm gepflanzten Dingen wären, vom Wind und von den Insekten mitgebracht, andere gewachsen, manche wären Unkraut gewesen, das hätte er ausgerissen, aber andere wären vielleicht Blumen geworden, die mit ihren Farben die Gleichförmigkeit des Gemüsegartens aufgeheitert hätten. Verstehst du? Es geht nicht ohne Freigebigkeit im Leben: Den eigenen kleinen Charakter zu pflegen und dabei nichts mehr von dem wahrzunehmen, was rundherum ist, bedeutet, zwar noch zu atmen, aber tot zu sein.

Indem sie ihrem Geist eine übermäßige Strenge auferlegte, hatte Ilaria in sich die Stimme des Herzens erstickt. Durch die vielen Diskussionen mit ihr hatte sogar ich Angst bekommen, dieses Wort auszusprechen. Einmal, als sie noch ein sehr junges Mädchen war, hatte ich zu ihr gesagt: Das Herz ist der Sitz des Geistes. Am nächsten Morgen hatte ich auf dem Küchentisch das bei dem Stichwort Geist – *spirito* – aufgeschlagene Lexikon gefunden, eine Definition war mit Rotstift unterstrichen: farblose Flüssigkeit, zum Konservieren von Obst geeignet.

Heutzutage denkt man bei Herz gleich an etwas Naives, an Dutzendware. In meiner Jugend war es noch möglich, es ohne Verlegenheit zu erwähnen, jetzt dagegen ist es ein Ausdruck, den niemand mehr benutzt. Wenn einmal davon die Rede ist, dann nur in bezug auf etwaige Funktionsstörungen: Es geht nicht um das Herz in seiner Gesamtheit, sondern nur um eine Blutleere der Herzkranzgefäße, ein leichtes Arterienleiden; aber von ihm selbst, davon, daß es der Sitz der menschlichen Seele ist, wird nicht mehr gesprochen. Sehr oft habe ich mich nach dem Grund für diese Ächtung gefragt. »Wer auf sein Herz vertraut, ist ein Tor«, sagte Augusto oft, die Bibel zitierend. Warum sollte er ein Tor sein? Vielleicht weil sein Herz einer Brennkammer ähnelt? Weil Dunkel herrscht dort drinnen, Dunkel und Feuer? Der Verstand ist so modern wie das Herz alt. Wer auf das Herz hört – denkt man dann –, steht dem Tierreich nahe, dem Unkontrollierten, wer auf den Verstand hört, ist den höchsten Geistesdingen nahe. Und wenn es nun gar nicht so wäre, wenn eher das Gegenteil stimmte? Wenn gerade durch dieses Übermaß an Vernunft das Leben verarmte?

Während der Heimreise aus Griechenland hatte ich es mir zur Gewohnheit gemacht, einen Teil des Vormittags in der Nähe der Kommandobrücke zu verbringen. Es gefiel mir hineinzuspähen, das Radargerät und all die komplizierten Apparaturen zu beäugen, die anzeigten, wohin wir fuhren. Dort, während ich die verschiedenen Antennen beobachtete, die in der Luft zitterten, kam mir der Gedanke, daß der Mensch immer mehr einem Radio ähnelt, das nur eine Frequenz empfangen kann. Es geschieht in etwa das gleiche wie mit den kleinen Transistorradios, die man als Werbegeschenk in Waschmitteln findet: Obwohl auf der Skala alle Sender verzeichnet sind, gelingt es in Wirklichkeit, wenn man am Sucher dreht, nicht, mehr als einen oder zwei Sender zu empfangen, der Rest ist ein Rauschen im Äther. Ich habe den Eindruck, daß der übermäßige Gebrauch des Geistes in etwa die gleiche Wirkung hervorruft: Von all der Wirklichkeit, die einen umgibt, kann man nur einen kleinen Ausschnitt erfassen.

Und in diesem Ausschnitt herrscht oft Verwirrung, weil er voller Wörter ist, und die Wörter uns meistens nur im Kreis herumführen, anstatt uns einen weiteren Raum zu eröffnen.

Verstehen erfordert Stille. Als junge Frau wußte ich das nicht, ich weiß es erst, seit ich mich dumm und einsam durchs Haus bewege wie ein Fisch in seinem runden Kristallglas. Es ist so ähnlich, wie wenn du einen schmutzigen Fußboden mit dem Besen oder mit einem nassen Lappen säuberst: Nimmst du den Besen, fällt der Staub, der aufgewirbelt wird, zum großen Teil auf die Gegenstände rundherum; benutzt du dagegen einen feuchten Lappen, wird der Fußboden glänzend und glatt. Die Stille ist wie der feuchte Lappen, sie wischt die Stumpfheit des Staubs für immer fort. Der Geist ist ein Gefangener der Worte; wenn er einem Rhythmus folgt, so dem unordentlichen Rhythmus der Gedanken; das Herz dagegen atmet, von allen Organen ist es das einzige, das pulsiert, und dieses Pulsieren erlaubt es ihm, mit dem Pulsieren größerer Dinge in Einklang zu treten. Manchmal lasse ich aus Versehen den Fernsehapparat den ganzen Nachmittag an; auch wenn ich gar nicht hinschaue, folgt mir sein Geräusch durch alle Zimmer, und abends beim Zubettgehen bin ich viel nervöser als sonst und habe Mühe einzuschlafen. Das ständige Geräusch, der Lärm sind eine Art Droge, wenn man sich daran gewöhnt hat, kann man nicht mehr ohne sie auskommen.

Ich möchte nicht zu weit gehen mit meinem Bericht, noch nicht. Die Seiten, die ich heute geschrieben habe, kommen mir ein bißchen so vor, als hätte ich eine Torte zubereitet und dabei verschiedene Rezepte zusammengemischt – ein paar Mandeln und dann Ricotta, Rosinen und Rum, Löffelbiskuits und Marzipan, Schokolade und Erdbeeren –, kurz und gut, eine dieser schrecklichen Sachen, die du mich einmal hast versuchen lassen mit der Bemerkung, das nenne man Nouvelle cuisine. Ein Durcheinander? Kann sein. Ich stelle mir vor, daß ein Philosoph, wenn er diese Seiten läse, wahrscheinlich ständig den Rotstift zücken würde, wie alte Lehrerinnen. »Widersprüchlich«, würde er schreiben, »Thema verfehlt, dialektisch unhaltbar.«

Und wenn sie erst einem Psychologen in die Hand fielen! Er könnte einen ganzen Artikel schreiben über die gescheiterte Beziehung zu meiner Tochter, über alles, was ich verdränge. Doch auch wenn ich etwas verdrängt hätte, welche Bedeutung hätte das jetzt noch? Ich hatte eine Tochter und habe sie verloren. Sie hat mit dem Auto einen tödlichen Unfall gebaut. Am selben Tag hatte ich ihr gesagt, daß jener Vater, der ihrer Meinung nach an so vielen Problemen schuld war, nicht ihr richtiger Vater war. Diesen Tag habe ich vor Augen wie einen Filmstreifen, nur daß er nicht durch den Projektor läuft, sondern unbeweglich an der Wand hängt. Ich kenne die Szenenfolge auswendig, kenne von jeder Szene alle Einzelheiten. Nichts entgeht mir, alles ist in mir, pulsiert im Wachen und im Schlafen durch meine Gedanken. Es wird auch nach meinem Tod noch weiter pulsieren.

Die kleine Amsel ist erwacht, in regelmäßigen Abständen steckt sie ihren Kopf aus dem Loch und stößt ein entschlossenes *Piep* aus. »Ich habe Hunger«, scheint sie zu sa-

gen, »füttere mich gefälligst, worauf wartest du noch?«
Ich bin aufgestanden und habe im Kühlschrank nachgese-
hen, ob es etwas Passendes für sie gäbe. Da aber nichts
dabei war, habe ich zum Telefon gegriffen, um Walter zu
fragen, ob er vielleicht ein paar Würmer hätte. Während
ich die Nummer wählte, habe ich zu ihr gesagt: »Sei nur
froh, meine Kleine, daß du aus einem Ei geschlüpft bist
und nach deinem ersten Flug vergessen hast, wie deine
Eltern aussahen.«

Heute früh, kurz nach neun, kam Walter mit seiner Frau und einem Säckchen voll Würmer. Er hat sie bei einem Cousin aufgetrieben, der gern zum Fischen geht. Es waren Mehlwürmer. Mit seiner Hilfe habe ich die junge Amsel vorsichtig aus der Schachtel herausgeholt, ihr Herz klopfte wie verrückt unter den weichen Brustfedern. Mit einer Pinzette habe ich die Würmer von dem kleinen Teller genommen und ihr hingehalten. Aber so appetitanregend ich sie auch vor ihrem Schnabel hin und her schwenkte, sie wollte nichts davon wissen. »Sperren Sie ihr den Schnabel mit einem Zahnstocher auf«, spornte mich Walter daraufhin an, »oder mit den Fingern«, aber ich hatte natürlich nicht den Mut dazu. Irgendwann ist mir dann wieder eingefallen, da wir ja schon viele junge Vögel zusammen aufgezogen haben, daß man sie von der Seite am Schnabel stupsen muß, also habe ich es versucht. Und tatsächlich hat die kleine Amsel sofort den Schnabel aufgesperrt, als wäre eine Feder dahinter. Nach drei Würmern war sie schon satt. Frau Razman hat einen Kaffee aufgesetzt – ich kann das nicht mehr, seit meine Hand mir nicht mehr richtig gehorcht –, und wir haben noch ein wenig geplaudert. Ohne die Freundlichkeit und Hilfsbereitschaft der beiden wäre mein Leben viel schwieriger. In einigen Tagen wollen sie in eine Gärtnerei, um Blumenzwiebeln und Samen für den nächsten Frühling zu kaufen. Sie haben mich eingeladen, mitzufahren. Ich habe weder ja noch nein gesagt. Morgen früh um neun wollen wir noch einmal telefonieren.

Jener Tag war der achte Mai. Ich hatte den Vormittag damit verbracht, im Garten nach dem Rechten zu sehen, die Akelei blühte und der Kirschbaum war voller Knospen. Zur Mittagessenszeit tauchte plötzlich, ohne Vorankündigung deine Mutter auf. Sie hatte sich stumm von hinten angeschlichen. »Überraschung!« rief sie auf einmal, und mir fiel vor Schreck der Rechen aus der Hand. Ihr Gesichtsausdruck paßte nicht zu der gespielten freudigen Erregung ihres Ausrufs. Sie war ganz gelb und preßte die Lippen zusammen. Beim Sprechen fuhr sie sich dauernd durchs Haar, strich es aus dem Gesicht, zog daran, steckte sich eine Strähne in den Mund.

Dies war in letzter Zeit ihr normaler Zustand, daher habe ich mir keine Sorgen gemacht, als ich sie so sah, jedenfalls nicht mehr als sonst. Ich habe sie gefragt, wo du seist. Sie antwortete, sie habe dich zum Spielen bei einer Freundin gelassen. Während wir auf das Haus zugingen, zog sie ein ganz zerdrücktes Sträußchen Vergißmeinnicht aus der Tasche. »Heute ist Muttertag«, sagte sie, blieb stehen und sah mich reglos an, die Blumen in der Hand, ohne sich zu entschließen, einen Schritt zu tun. Also habe ich den Schritt getan, bin auf sie zugegangen und habe sie zärtlich umarmt und mich bedankt. Als ich ihren Körper an meinem spürte, erschrak ich. Sie war furchterregend starr, und während ich sie an mich drückte, hatte sie sich noch mehr versteift. Ich hatte das Gefühl, als wäre ihr Körper innerlich völlig ausgehöhlt, kalte Luft ging von ihm aus wie von einer Grotte. Da dachte ich an dich, ich erinnere mich noch genau. Was wird bloß aus der Kleinen, habe ich mich gefragt, bei einer Mutter in diesem Zustand? Anstatt sich zu bessern, hatte sich die Situation im Lauf der Zeit verschlechtert, ich war besorgt um dich, um deine Entwicklung. Deine Mutter war sehr eifersüchtig und brachte dich so wenig wie möglich zu mir. Sie wollte dich vor meinem negativen Einfluß bewahren. Wenn ich schon sie ruiniert hatte, sollte es mir wenigstens nicht gelingen, dich zu ruinieren.

Es war Zeit zum Mittagessen, und nach der Umarmung bin ich in die Küche gegangen, um eine Kleinigkeit herzurichten. Das Wetter war mild. Wir haben den Tisch im Freien gedeckt, unter der Glyzinie. Ich habe das grün-weiß karierte Tischtuch aufgelegt und eine kleine Vase mit den Vergißmeinnicht in die Mitte gestellt. Siehst du? Ich erinnere mich an alles mit einer für mein wackeliges Gedächtnis unglaublichen Genauigkeit. Ob ich ahnte, daß dies das letzte Mal sein würde, an dem ich sie lebend sah? Oder habe ich nach der Tragödie versucht, die zusammen verbrachte Zeit künstlich auszudehnen? Wer weiß. Wer kann das sagen?

Da ich nichts vorbereitet hatte, habe ich eine Tomatensauce gekocht und Ilaria gefragt, ob sie lieber Penne oder Fusilli essen wollte. Von draußen hat sie hereingerufen: »Ist mir gleich«, worauf ich die Fusilli ins kochende Wasser warf. Als wir am Tisch saßen, habe ich ihr ein paar Fragen über dich gestellt, Fragen, auf die sie ausweichend antwortete. Über unseren Köpfen flogen unentwegt Insekten hin und her. Sie krochen in die Blüten, krabbelten wieder heraus, ihr Summen übertönte fast unsere Stimmen. »Das ist eine Wespe. Erschlag sie! Erschlag sie!« schrie sie, wobei sie vom Stuhl sprang und alles umkippte. Daraufhin habe ich mich vorgebeugt, um nachzusehen, und festgestellt, daß es eine Hummel war. »Es ist keine Wespe, es ist eine Hummel, die sticht nicht«, habe ich zu ihr gesagt. Nachdem ich das Insekt vom Tischtuch verscheucht hatte, habe ich ihr die Nudeln auf den Teller zurückgetan. Noch ganz außer sich setzte sie sich wieder hin, griff zur Gabel und spielte ein wenig damit herum, nahm sie von einer Hand in die andere, dann stützte sie die Ellbogen auf dem Tisch auf und sagte: »Ich brauche Geld.« Dort, wo die Nudeln hingefallen waren, prangte ein großer roter Fleck auf der Tischdecke.

Die Sache mit dem Geld zog sich schon seit vielen Monaten hin. Noch im vergangenen Jahr hatte Ilaria mir vor Weihnachten gestanden, sie habe zugunsten ihres Analytikers einige Papiere unterschrieben. Als ich sie um nähere Erklärungen bat, war sie wie immer ausgewichen. »Eine Bürgschaft«, hatte sie gesagt, »eine reine Formalität.« So terrorisierte sie mich ständig, wenn sie mir etwas sagen mußte, sagte sie es nur halb. Auf diese Weise lud sie ihre Angst auf mich ab, und danach gab sie mir nicht die nötigen Informationen, die mir erlaubt hätten, ihr zu helfen. Ein unterschwelliger Sadismus steckte in all dem. Und außer dem Sadismus ein rasendes Bedürfnis, immer im Mittelpunkt irgendwelcher Besorgnis zu stehen. Meistens jedoch stellten sich diese Hiobsbotschaften als pure Erfindung heraus.

Sie sagte zum Beispiel: »Ich habe Krebs an den Eierstöcken«, und ich fand nach kurzen, angstvollen Nachforschungen heraus, daß sie nur die Vorsorgeuntersuchung hatte machen lassen, die alle Frauen machen. Verstehst du? Es war so ähnlich wie die Geschichte, in der einer immer schreit: Feuer! Feuer! In den letzten Jahren hatte sie mir so viele Tragödien verkündet, daß ich zuletzt aufgehört hatte, daran zu glauben, oder ihr jedenfalls weniger glaubte. Daher hatte ich, als sie mir sagte, sie habe irgendwelche Papiere unterschrieben, zunächst nicht weiter darauf geachtet und auch nicht darauf bestanden, mehr zu erfahren. Ich war des zermürbenden Spiels so überdrüssig. Auch wenn ich in sie gedrungen wäre und die Sache früher entdeckt hätte, wäre es dennoch zwecklos gewesen, denn die Papiere hatte sie ja längst unterschrieben, ohne mich auch nur zu fragen.

Der echte Zusammenbruch kam Ende Februar. Da erst erfuhr ich, daß Ilaria mit diesen Papieren in Höhe von dreihundert Millionen Lire für die Geschäfte ihres Arztes bürgte. In den zwei Monaten hatte die Gesellschaft, für die sie die Bürgschaft unterschrieben hatte, Bankrott gemacht, es gab ein Loch von beinahe zwei Milliarden und die Banken hatten begonnen, das Geld einzufordern. An diesem Punkt war deine Mutter zu mir gekommen, um sich auszuweinen und zu fragen, was sie bloß tun solle. Die Bürgschaft bestand nämlich in der Wohnung, in der sie mit dir lebte; die forderten die Banken nun ein. Du kannst dir vorstellen, wie ich getobt habe. Mit über dreißig Jahren war deine Mutter nicht nur keineswegs in der Lage, sich selbst zu ernähren, sondern hatte auch das einzige aufs Spiel gesetzt, was sie besaß, die Wohnung, die ich ihr bei deiner Geburt überschrieben hatte. Ich war wütend, ließ es mir aber nicht anmerken. Um sie nicht weiter zu beunruhigen, tat ich ganz unbesorgt. »Mal sehen, was wir tun können.«

Da sie in eine völlige Teilnahmslosigkeit verfallen war, habe ich einen guten Anwalt gesucht. Ich habe mich auch als Detektiv betätigt und alle Informationen gesammelt, die wir brauchen konnten, um den Prozeß mit den Banken zu gewinnen. So erfuhr ich, daß der Arzt ihr schon seit mehreren Jahren starke Psychopharmaka verabreichte. Wenn sie während der Sitzungen ein wenig niedergeschlagen war, bot er ihr Whisky an. Er wiederholte ihr unaufhörlich, sie sei seine Lieblingsschülerin, die begabteste von allen, und bald würde sie eine eigene Praxis aufmachen und selbst andere Menschen behandeln können. Mir läuft es kalt den Rücken hinunter, wenn ich diese Sätze nur wiederhole. Weißt du, was das heißt, wenn Ilaria bei ihrer Anfälligkeit, ihrer Verwirrung, ihrem völligen Mangel an innerem Gleichgewicht, von einem Tag zum nächsten andere Menschen hätte behandeln können. Ohne diesen Zwischenfall wäre es so gut wie sicher dazu gekommen: Ohne mir ein Wort zu sagen, hätte sie angefangen, die gleiche Kunst auszuüben wie ihr Guru.

Natürlich hatte sie nie gewagt, mit mir in aller Deutlichkeit über dieses Vorhaben zu sprechen. Wenn ich sie fragte, warum sie in keiner Weise ihr Literaturstudium nutzte, antwortete sie mit einem schlauen Lächeln: »Du wirst schon sehen, wart's nur ab...«

Manche Dinge tun sehr weh, wenn man über sie nachdenkt. Und wenn man sie dann ausspricht, wird der

Schmerz noch viel größer. In jenen schrecklichen Monaten ging mir etwas auf, worauf ich bis dahin nie gekommen war. Ich weiß nicht, ob ich gut daran tue, es dir zu berichten, doch nachdem ich nun einmal beschlossen habe, dir nichts zu verbergen, lasse ich die Katze aus dem Sack. Nun, siehst du, ich verstand mit einemmal, daß deine Mutter kein bißchen intelligent war. Es hat mich sehr viel Mühe gekostet, es zu begreifen und es hinzunehmen, erstens, weil man sich bei den eigenen Kindern immer etwas vormacht, und zweitens, weil es ihr mit all ihrem falschen Wissen, all ihrer Dialektik ausgezeichnet gelungen war, darüber hinwegzutäuschen. Hätte ich den Mut gehabt, es rechtzeitig zu merken, hätte ich sie mehr beschützt, hätte sie unerschütterlicher liebgehabt. Vielleicht hätte ich sie dann retten können.

Das war das Wichtigste, und ich habe es erst gemerkt, als fast nichts mehr zu machen war. Angesichts der Lage war die einzige Möglichkeit die, sie für unzurechnungsfähig erklären zu lassen und einen Prozeß wegen Hörigmachens anzustrengen. An dem Tag, an dem ich ihr mitteilte, daß wir – der Rechtsanwalt und ich – beschlossen hatten, diesen Weg einzuschlagen, bekam deine Mutter einen hysterischen Anfall. »Das machst du mit Absicht«, schrie sie, »das hast du dir nur ausgedacht, um mir das Kind wegzunehmen.« Insgeheim jedoch dachte sie bestimmt nur an eines, da bin ich sicher, daß nämlich, wenn sie für unzurechnungsfähig erklärt würde, es mit ihrer Karriere für immer vorbei wäre. Sie ging mit verbundenen Augen am Rand eines Abgrunds entlang und glaubte immer noch, sie befände sich zum Picknick auf einer Wiese.

Nach diesem Anfall befahl sie mir, dem Rechtsanwalt das Mandat zu entziehen und nichts mehr zu unternehmen. Sie suchte selbst einen anderen Anwalt auf; sonst erfuhr ich über die Sache nichts mehr bis zu dem Tag der Vergißmeinnicht.

Verstehst du, in welchem Seelenzustand ich war, als sie, die Ellbogen auf den Tisch gestützt, das Geld von mir verlangte? Natürlich, ich weiß, ich rede von deiner Mutter, und du hörst aus meinen Worten jetzt vielleicht nur eine kalte Grausamkeit heraus, du denkst, sie hatte recht, mich zu hassen. Doch erinnere dich an das, was ich dir zu Anfang sagte: Deine Mutter war meine Tochter, ich habe viel mehr verloren als du. Du bist an ihrem Verlust unschuldig, ich dagegen nicht, keineswegs. Wenn es dir ab und zu so vorkommt, als spräche ich mit Abstand von ihr, versuch, dir vorzustellen, wie groß mein Schmerz sein mag, wie sehr dieser Schmerz ohne Worte ist. Der Abstand besteht nur scheinbar, er ist der Puffer, der mir das Weitersprechen ermöglicht.

Als sie von mir forderte, ihre Schulden zu bezahlen, sagte ich zum ersten Mal in meinem Leben nein zu ihr, einfach nein. »Ich bin keine Schweizer Bank«, antwortete ich, »diese Summe habe ich nicht. Auch wenn ich sie hätte, würde ich sie dir nicht geben, du bist groß genug, um für deine Taten selbst die Verantwortung zu übernehmen. Ich hatte nur eine Wohnung, die habe ich dir überschrieben. Wenn du sie verloren hast, geht es mich nichts mehr an.«

Daraufhin begann sie zu jammern. Sie fing einen Satz an, brach ihn mittendrin ab, fing einen neuen an; es gelang mir nicht, in Inhalt oder Abfolge irgendeinen Sinn, eine

Logik zu erkennen. Nach etwa zehn Minuten Gejammer war sie wieder bei ihrer fixen Idee angelangt: dem Vater und seiner angeblichen Schuld, die vor allem darin bestand, daß er ihr so wenig Aufmerksamkeit geschenkt hatte. »Es muß eine Wiedergutmachung geben, verstehst du das oder nicht?« schrie sie mich mit einem schrecklichen Flackern in den Augen an.

Da platzte ich einfach, ich weiß auch nicht, wieso. Das Geheimnis, das mit ins Grab zu nehmen ich mir längst geschworen hatte, schlüpfte über meine Lippen. Kaum war es heraus, bereute ich es schon, wollte es zurückrufen; ich hätte alles getan, um diese Worte wieder zu verschlucken, aber es war zu spät. Dieses »dein Vater ist nicht dein wirklicher Vater«, war schon an ihre Ohren gedrungen. Ihr Gesicht wurde noch fahler. Sie stand langsam auf und starrte mich an. »Was hast du gesagt?« Ihre Stimme war kaum vernehmbar. Ich dagegen hatte mich seltsamerweise wieder beruhigt.

»Du hast ganz richtig gehört«, antwortete ich ihr. »Ich habe gesagt, daß dein Vater nicht mein Ehemann war.«

Wie Ilaria reagierte? Einfach, indem sie flüchtete. Mit einem Gang, der eher dem eines Roboters als dem eines Menschen glich, drehte sie sich um und steuerte auf das Gartentor zu. »Warte! Laß uns reden!« rief ich ihr mit hassenswert schriller Stimme nach.

Warum ich nicht aufgestanden bin, warum ich ihr nicht nachgelaufen bin, warum ich im Grunde nichts getan habe, um sie aufzuhalten? Weil ich selbst wie von meinen eigenen Worten versteinert dasaß. Versuche, es zu verstehen: Was ich so viele Jahre und mit solcher Standhaftigkeit gehütet hatte, war plötzlich herausgekommen. In weniger als einer Sekunde, wie ein Kanarienvogel, der plötzlich die Käfigtüre offenstehen sieht, war es davongeflogen, zu der einzigen Person, von der ich nicht wollte, daß sie es erführe.

Am selben Nachmittag, um sechs Uhr, als ich noch ganz benommen die Hortensien wässerte, kam eine Streife der Verkehrspolizei, um mir mitzuteilen, daß sie verunglückt war.

Es ist jetzt später Abend, ich mußte eine Pause machen. Ich habe Buck und die Amsel gefüttert, habe selbst gegessen und ein wenig ferngesehen. Mein zerlöcherter Panzer erlaubt es mir nicht, längere Zeit starken Gefühlen standzuhalten. Um weitermachen zu können, muß ich mich ablenken, Atem schöpfen.

Wie du weißt, starb deine Mutter nicht sofort, sondern schwebte zehn Tage zwischen Leben und Tod. An diesen Tagen war ich immer bei ihr, ich hoffte, daß sie wenigstens für einen Moment die Augen öffnen würde, daß mir eine letzte Möglichkeit gegeben würde, sie um Verzeihung zu bitten. Wir waren allein in einem engen Raum voller Apparate, ein kleiner Bildschirm zeigte an, daß ihr Herz noch schlug, ein anderer, daß ihr Gehirn fast nicht mehr arbeitete. Der Arzt, der sie betreute, hatte mir gesagt, daß die Patienten es in einem solchen Zustand manchmal wohltuend fänden, wenn sie Laute hörten, die sie geliebt hatten. Also hatte ich mir das Lied besorgt, das sie als Kind am liebsten mochte. Stundenlang spielte ich es ihr mit einem kleinen Kassettenrecorder vor. Etwas muß tatsächlich zu ihr durchgedrungen sein, denn schon nach den ersten Klängen veränderte sich ihr Ausdruck, das Gesicht entspannte sich und die Lippen begannen, die Bewegungen zu machen, die Säuglinge machen, wenn sie gestillt worden sind. Es wirkte wie ein Lächeln der Zufriedenheit. Wer weiß, vielleicht bewahrte sie in dem kleinen Teil ihres Gehirns, der noch funktionierte, die Erinnerung an eine unbeschwerte Zeit und hatte sich in jenem Augenblick dorthin geflüchtet. Diese kleine Veränderung erfüllte mich mit Freude. Man klammert sich in solchen Fällen ja an jede Winzigkeit; ich wurde es nicht müde, ihr über den Kopf zu streicheln und zu wiederholen: »Du mußt es schaffen, mein Schatz, wir haben noch ein ganzes Leben vor uns, gemeinsam. Wir werden noch einmal von vorn anfangen und alles anders machen.« Während ich zu ihr sprach, hatte ich immer wieder ein Bild vor mir: Sie war vier oder fünf Jahre alt, ich sah sie durch den Garten wandern, ihre Lieblingspuppe im Arm, mit der sie ununterbrochen redete. Ich war in der Küche, konnte ihre Stimme nicht hören. Ab und zu drang von irgendwoher auf der Wiese ihr Lachen zu mir, ein kräftiges, fröhliches Lachen. Wenn sie einmal glücklich war, sagte ich mir dann, kann sie es auch wieder werden. Um ihr wieder Leben zu geben, muß man von dort ausgehen, von diesem Kind.

Das erste, was mir die Ärzte nach dem Unfall mitteilten, war natürlich, daß ihre Körperfunktionen, selbst wenn sie überleben sollte, nicht mehr so sein würden wie früher; sie konnte gelähmt bleiben oder nur teilweise wieder zu Bewußtsein kommen. Und weißt du was? In meinem mütterlichen Egoismus sorgte ich mich nur darum, daß sie weiterlebte. Auf welche Weise, hatte keine Bedeutung. Im Gegenteil, sie im Rollstuhl zu schieben, sie zu waschen, zu füttern, ihre Pflege zu meinem einzigen Lebensinhalt zu machen, das wäre die beste Möglichkeit gewesen, meine Schuld ganz zu sühnen. Wenn meine Liebe echt gewesen wäre, wenn sie wirklich groß gewesen wäre, hätte ich für ihren Tod gebetet. Zum Schluß war Er barmherziger als ich: Am Spätnachmittag des zehnten Tages verschwand jenes unbestimmte Lächeln von ihrem Gesicht und sie starb. Ich merkte es sofort, ich stand daneben, aber ich verständigte die diensthabende Krankenschwester nicht, weil ich noch ein wenig bei ihr bleiben wollte. Ich liebkoste ihr Gesicht, hielt ihre Hände in den meinen wie früher, als sie noch ein Kind war, »mein Schatz«, sagte ich immer wieder zu ihr, »mein Schatz«. Dann, ohne ihre Hand loszulassen, habe ich mich ans Fußende des Bettes gekniet und zu beten begonnen. Und betend habe ich zu weinen begonnen.

Als die Krankenschwester meine Schulter berührte, weinte ich immer noch. »Kommen Sie«, hat sie zu mir gesagt, »ich gebe Ihnen ein Beruhigungsmittel.« Ich wollte kein Beruhigungsmittel, ich wollte nicht, daß etwas meinen Schmerz dämpfte. Ich blieb bei ihr, bis sie ins Leichenhaus gebracht wurde. Dann habe ich ein Taxi genommen und bin zu der Freundin gefahren, bei der du untergebracht warst. Noch am selben Abend nahm ich dich mit zu mir. »Wo ist Mama?« hast du mich beim Abendessen gefragt. – »Mama ist auf eine lange Reise gegangen«, habe ich zu dir gesagt, »eine Reise bis in den Himmel.« Stumm hast du mit deinem blonden Lockenkopf weitergegessen. Kaum warst du fertig, hast du mich mit ernster Stimme gefragt: »Können wir ihr zuwinken, Großmutter?« – »Aber natürlich, mein Liebling«, habe ich geantwortet, dich auf den Arm genommen und in den Garten getragen. Lange sind wir so auf der Wiese stehengeblieben, während du mit deinem Händchen den Sternen zuwinktest.

In den letzten Tagen war ich sehr schlechter Laune. Es gab keinen genauen Auslöser, der Körper ist so, hat sein inneres Gleichgewicht, und ein Nichts genügt, um es aus dem Lot zu bringen. Gestern früh, als Frau Razman mit den Einkäufen kam und mein finsteres Gesicht sah, sagte sie, ihrer Meinung nach sei der Mond daran schuld. Gestern nacht war nämlich Vollmond. Und wenn der Mond die Meere bewegen und den Salat im Garten schneller wachsen lassen kann, warum sollte er dann nicht die Macht haben, auch unsere Stimmungen zu beeinflussen? Aus was bestehen wir denn schon, außer aus Wasser, Gas, Mineralien? Bevor sie wieder ging, hat sie mir noch einen beachtlichen Packen alter Zeitschriften dagelassen. Und so habe ich einen ganzen Tag damit verbracht, mich Seite um Seite in Dummheiten zu vertiefen. Jedesmal falle ich darauf herein. Kaum sehe ich sie, sage ich mir, na gut, ich blättere ein wenig darin, nicht mehr als eine halbe Stunde, und dann mache ich wieder etwas Ernsthaftes, Wichtigeres. Und dann kann ich mich jedesmal nicht losreißen, bis ich das letzte Wort gelesen habe. Ich bin betrübt über das unglückliche Leben der Fürstin von Monaco, ich empöre mich über die proletarischen Liebesaffären ihrer Schwester, ich erbebe bei jeder herzzerreißenden Geschichte, die mir mit einem Überfluß an Einzelheiten erzählt wird. Und dann die Leserbriefe! Ich wundere mich immer wieder, was die Leute zu schreiben den Mut haben! Ich bin keine alte Betschwester, jedenfalls halte ich mich nicht dafür, dennoch kann ich dir nicht verhehlen, daß manche Freizügigkeiten mich doch recht erstaunen.

Heute ist die Temperatur noch weiter gefallen. Ich habe nicht einmal meinen Spaziergang durch den Garten gemacht, weil ich fürchtete, daß die Luft zu frostig sei; zusammen mit der Kälte, die ich in mir trage, hätte sie mich zerbrechen können wie einen abgestorbenen, vereisten Ast. Wer weiß, ob du meine Seiten überhaupt noch liest, oder ob du dich, seit du mich besser kennst, so angeekelt fühlst, daß du nicht weiterlesen kannst. Die Unruhe, die mich zur Zeit beherrscht, erlaubt mir keinen Aufschub, ich kann nicht ausgerechnet jetzt unterbrechen oder um den heißen Brei herum reden. Ich habe das Geheimnis so viele Jahre gehütet, jetzt kann ich nicht mehr. Ich habe dir eingangs gesagt, daß ich angesichts deiner Verwirrung darüber, keine Mitte zu haben, selbst eine Verwirrung empfand, die deiner glich oder vielleicht sogar noch größer war. Ich weiß, daß dein Vermissen einer Mitte eng mit der Tatsache zusammenhängt, daß du nie erfahren hast, wer dein Vater ist. So wie es mir auf traurige Weise selbstverständlich war, dir zu sagen, wohin deine Mutter gegangen war, so unfähig war ich, dir auf Fragen nach deinem Vater zu antworten. Ich hatte nicht die leiseste Ahnung, wer er war. Eines Sommers hatte Ilaria allein eine lange Reise in die Türkei gemacht, und aus diesen Ferien war sie schwanger zurückgekommen. Sie war schon über dreißig, und in diesem Alter überkommt die Frauen, wenn sie keine Kinder haben, eine seltsame Panik, sie wollen um jeden Preis ein Kind, wie und mit wem ist ganz egal.

Damals waren sie außerdem fast alle Feministinnen; deine Mutter hatte mit einigen Freundinnen eine Frauengruppe gegründet. Es war viel Richtiges an dem, was sie sagten, manche Ansichten teilte ich durchaus, aber neben diesen richtigen Dingen gab es auch viel Überzogenes, ungesunde und verdrehte Vorstellungen. Eine davon war, daß die Frauen ausschließlich selbst über ihren Körper bestimmten und es deshalb ganz allein von ihnen abhing, ob sie ein Kind bekamen oder nicht. Der Mann war nichts weiter als eine biologische Notwendigkeit, und dementsprechend mußte man mit ihm umgehen. Deine Mutter war nicht die einzige gewesen, die sich so verhalten hatte, auch zwei oder drei ihrer Freundinnen bekamen ihre Kinder auf die gleiche Art. Ganz unverständlich ist es nicht, weißt du. Die Fähigkeit, Leben zu schenken, gibt einem ein Allmachtsgefühl. Der Tod, die Dunkelheit, die Vergänglichkeit rücken weiter in die Ferne, du setzt einen Teil von dir wieder in die Welt, vor diesem Wunder verschwindet alles andere.

Zur Untermauerung ihrer Thesen zitierten deine Mutter und ihre Freundinnen Dinge aus dem Tierreich: »Die Weibchen«, sagten sie, »tun sich mit den Männchen nur zur Paarung zusammen, dann geht jedes wieder seiner Wege, und die Jungen bleiben bei der Mutter.« Ob das stimmt oder nicht, kann ich nicht überprüfen. Ich weiß jedoch, daß wir Menschen sind, jeder von uns kommt mit einem Gesicht auf die Welt, das ihn von allen anderen unterscheidet, und dieses Gesicht tragen wir dann unser ganzes Leben lang mit uns herum. Eine Antilope kommt mit einer Antilopenschnauze auf die Welt, ein Löwe mit einem Löwenmaul, sie gleichen allen anderen Tieren ihrer Art aufs Haar. Das Äußere bleibt in der Natur immer gleich, ein Gesicht aber, das hat nur der Mensch und sonst niemand. Ein Gesicht, verstehst du? Im Gesicht ist alles enthalten. Deine Geschichte, dein Vater, deine Mutter, deine Großeltern und die Urgroßeltern, womöglich auch ein entfernter Onkel, an den sich niemand mehr erinnert. Hinter dem Gesicht steht die Persönlichkeit, die guten und die weniger guten Dinge, die du von deinen Vorfahren mitbekommen hast. Das Gesicht ist etwas Ureigenes, etwas, das uns erlaubt, uns im Leben einzurichten und zu sagen: So, hier bin ich. Als du mit dreizehn, vierzehn Jahren anfingst, stundenlang vor dem Spiegel zu stehen, habe ich daher sofort verstanden, daß es genau das war, was du suchtest. Du studiertest deine Pickel und Mitesser oder die auf einmal zu große Nase, aber auch noch etwas anderes. Indem du die Züge deiner Familie mütterlicherseits abzogst und wegschobst, versuchtest du, dir eine Vorstellung vom Gesicht des Mannes zu machen, der dich in die Welt gesetzt hatte. Die Sache, die deine Mutter und ihre Freundinnen nicht genug bedacht hatten, war genau diese: Eines Tages würde das Kind, während es sich im Spiegel betrachtete, herausfinden, daß noch jemand anders in ihm steckte, und würde alles über diesen anderen herausfinden wollen. Es gibt Menschen, die dem Gesicht ihrer Mutter, ihres Vaters ihr ganzes Leben lang hinterherlaufen.

Ilaria war überzeugt, die Genetik spiele bei der Entwicklung eines Lebens keine Rolle. Wichtig waren für sie die Erziehung, die Umgebung, die Art, wie man aufwuchs. Ich teilte diese Auffassung nicht, für mich ging beides

Hand in Hand: zur Hälfte die Umgebung, zur Hälfte das, was wir von Geburt an in uns tragen.

Solange du nicht in die Schule gingst, hatte ich keine Probleme, du fragtest dich nie nach deinem Vater, und ich hütete mich wohl, davon zu sprechen. Mit deinem Eintritt in die Grundschule bemerktest du plötzlich, dank deiner Schulkameradinnen und der teuflischen Aufsatzthemen, die die Lehrerinnen stellten, daß in deinem Alltag etwas fehlte. In deiner Klasse gab es natürlich viele Kinder, deren Eltern getrennt lebten oder die aus ungeordneten Verhältnissen stammten, aber bei keinem gab es, in bezug auf den Vater, eine so völlige Leere wie bei dir. Wie sollte ich dir im Alter von sechs, sieben Jahren erklären, was deine Mutter getan hatte? Schließlich wußte ich ja im Grunde genommen selbst nichts darüber, außer daß du dort in der Türkei empfangen wurdest. Also habe ich, um eine wenigstens einigermaßen glaubwürdige Geschichte zu erfinden, die einzig feststehende Tatsache benutzt, das Ursprungsland.

Ich hatte ein Buch mit orientalischen Märchen gekauft und las dir jeden Abend eines vor. Nach dem gleichen Muster hatte ich dann eigens für dich ein Märchen erfunden, erinnerst du dich noch daran? Deine Mutter war eine Prinzessin und dein Vater ein Prinz des Halbmonds. Wie alle Königskinder liebten sie sich so sehr, daß sie bereit waren, füreinander zu sterben. Diese Liebe neideten ihnen aber viele bei Hof. Am neidischsten von allen war der Großwesir, ein mächtiger, böser Mann. Und er war es gewesen, der einen schrecklichen Zauberspruch gegen die Prinzessin und das Wesen, das sie in ihrem Schoß trug, ausgesprochen hatte. Zum Glück war der Prinz von einem treuen Diener gewarnt worden, und so hatte deine Mutter bei Nacht, als Bäuerin verkleidet, das Schloß verlassen und sich hierher geflüchtet, in die Stadt, wo du das Licht der Welt erblicktest.

»Ich bin das Kind eines Prinzen?« hast du mich mit leuchtenden Augen gefragt. »Natürlich«, erwiderte ich, »aber das ist ein ganz geheimes Geheimnis, das darfst du niemandem verraten.« Was ich mit dieser merkwürdigen Lüge zu erreichen hoffte? Nichts, ich wollte dir nur ein paar weitere unbeschwerte Jahre schenken. Ich wußte ja, daß du eines Tages aufhören würdest, an mein dummes Märchen zu glauben. Ich wußte auch, daß du mich von jenem Tag an sehr wahrscheinlich hassen würdest. Dennoch war es mir einfach unmöglich, dir das Märchen nicht zu erzählen. Auch wenn ich mein ganzes bißchen Mut zusammengenommen hätte, ich hätte nie zu dir sagen können: »Ich weiß nicht, wer dein Vater ist, und vielleicht wußte deine Mutter es auch nicht.«

Es waren die Jahre der sexuellen Revolution, die erotische Betätigung wurde als normale Körperfunktion angesehen: Sie sollte immer ausgeübt werden, wenn man dazu Lust hatte, einmal mit dem einen, am nächsten Tag mit einem anderen. Ich habe Dutzende von jungen Männern an der Seite deiner Mutter auftauchen sehen, aber ich erinnere mich an keinen, mit dem es länger als einen Monat gedauert hätte. Ilaria, die schon an sich nicht sehr stabil war, hatte dieser ständige Wechsel in der Liebe noch mehr durcheinandergebracht als die anderen. Auch wenn ich sie nie an etwas gehindert, sie nie in irgendeiner Weise kriti-

siert habe, war ich doch recht verstört wegen dieser plötzlichen Freizügigkeit der Sitten. Es war nicht so sehr die
Promiskuität, die mich beeindruckte, als vielmehr die Ver-
armung der Gefühle. Nachdem die Verbote und die Einzigartigkeit der Person weggefallen waren, gab es auch
keine Leidenschaft mehr. Ilaria und ihre Freundinnen kamen mir vor wie stark erkältete Gäste bei einem Festessen,
aus Höflichkeit aßen sie von allem, was ihnen angebo-
ten wurde, ohne jedoch den Geschmack wahrzunehmen:
Karotten, Braten und Beignets, für sie schmeckte alles
gleich.

Die Entscheidung deiner Mutter hatte sicher mit der
neuen Freizügigkeit zu tun, doch vielleicht spielte auch
noch etwas anderes eine Rolle. Was wissen wir über das
Funktionieren des Geistes? Viel, aber nicht alles. Wer
kann daher sagen, ob sie, an einem dunklen Ort des Unbe-
wußten, nicht geahnt hat, daß dieser Mann, den sie vor
sich hatte, nicht ihr Vater war? Kamen viele Beunruhigun-
gen, viele Unsicherheiten nicht vielleicht daher? Solange
sie klein war und auch, als sie zum jungen Mädchen heranwuchs, habe ich mich das nie gefragt, die Illusion, in der
ich sie hatte aufwachsen lassen, war vollkommen. Doch als
sie von dieser Reise zurückkam, im dritten Monat schwanger, da ist mir alles wieder eingefallen. Man entkommt der
Falschheit, den Lügen nicht. Oder besser gesagt, eine Zeitlang kann man entkommen, und wenn du es am wenigsten
erwartest, holen sie dich dann ein, nicht mehr gefügig,
scheinbar harmlos wie in dem Augenblick, als du sie gesagt
hast, nein; in der Zeit ihrer Abwesenheit haben sie sich in
schreckliche Ungeheuer verwandelt, in allesfressende Rie-

sen. Du entdeckst sie, und eine Sekunde später wirst du umgerissen, sie verschlingen dich und alles, was um dich ist, mit einer entsetzlichen Gier. Eines Tages, mit zehn Jahren, bist du weinend aus der Schule heimgekommen. »Lügnerin!« hast du zu mir gesagt und dich sofort in dein Zimmer eingeschlossen. Du hattest entdeckt, daß das Märchen gelogen war.

»Die Lügnerin« könnte als Titel über meinem Lebensbericht stehen. Seit ich geboren wurde, habe ich nur ein einziges Mal gelogen.

Mit dieser Lüge habe ich drei Leben zerstört.

Die Amsel sitzt immer noch vor mir auf dem Tisch. Sie hat etwas weniger Appetit als in den vergangenen Tagen. Anstatt mich ununterbrochen zu rufen, sitzt sie still an ihrem Platz, streckt den Kopf nicht mehr aus dem Loch in der Schachtel, nur die obersten Federn sehe ich noch ein wenig herausschauen. Heute morgen bin ich trotz der Kälte mit den Razmans in die Gärtnerei gefahren. Ich war bis zum letzten Augenblick unentschieden, die Temperatur war so niedrig, daß sie sogar einen Bären abgeschreckt hätte, und außerdem meldete sich in einem dunklen Winkel meines Herzens eine Stimme, die zu mir sagte: Was liegt dir daran, noch mehr Blumen zu pflanzen? Aber während ich schon die Nummer der Razmans wählte, um die Verabredung abzusagen, sah ich durchs Fenster die fahlen Farben des Gartens und schämte mich für meinen Egoismus. Ich werde vielleicht keinen nächsten Frühling mehr erleben, aber du wirst ja den Frühling bestimmt noch oft sehen.

Wie unwohl mir in diesen Tagen zumute ist! Wenn ich nicht schreibe, wandere ich durch die Zimmer, ohne irgendwo Ruhe zu finden. Unter den wenigen Dingen, die ich noch tun kann, gibt es nichts, wodurch ich mich einem Zustand der Gelassenheit annähern, meine Gedanken einen Moment von den traurigen Erinnerungen ablenken könnte. Ich habe den Eindruck, das Gedächtnis funktioniert so ähnlich wie eine Tiefkühltruhe. Weißt du, wie es ist, wenn man ein Gericht herausholt, das lange dort drinnen gelegen hat? Am Anfang ist es hart wie ein Backstein, hat keinen Geruch, keinen Geschmack, ist mit einer weißen Patina überzogen; kaum stellst du es aber aufs Feuer, nimmt es nach und nach seine Form, seine Farbe wieder an und erfüllt die Küche mit seinem Aroma. Genauso schlummern die traurigen Erinnerungen lange Zeit in einer der unzähligen Höhlen des Gedächtnisses, Jahre, Jahrzehnte, ein ganzes Leben lang. Dann, eines schönen Tages, kommen sie wieder an die Oberfläche, der Schmerz, der sie begleitete, ist wieder gegenwärtig, heftig und stechend wie an jenem Tag vor so vielen Jahren.

Ich war dabei, dir von mir, von meinem Geheimnis zu erzählen. Doch um eine Geschichte zu erzählen, muß man beim Anfang beginnen, und der Anfang liegt in meiner Jugend, in der eher ungewöhnlichen Einsamkeit, in der ich aufgewachsen war und weiterhin lebte. Zu meiner Zeit war Intelligenz für eine Frau eine Gabe, die nur schlecht für die Ehe taugte; nach den damaligen Gebräuchen sollte eine Ehefrau nichts anderes sein als eine stillhaltende, hingebungsvolle Gebärende. Eine Frau, die Fragen stellte, eine neugierige, unruhige Ehefrau war das Letzte, was man sich wünschen konnte. Deshalb war ich in meiner Jugend wirklich sehr allein. Da ich hübsch und auch recht wohlhabend war, hatte ich zwar, ehrlich gesagt, mit achtzehn bis zwanzig Jahren Schwärme von Verehrern um mich. Kaum zeigte ich jedoch, daß ich sprechen konnte, kaum öffnete ich ihnen mein Herz mit den Gedanken, die sich darin regten, entstand eine Leere um mich. Natürlich hätte ich auch schweigen und mich verstellen können, aber leider – oder zum Glück – war trotz der Erziehung, die ich erhalten hatte, ein Teil von mir noch lebendig, und dieser Teil weigerte sich hartnäckig zu heucheln.

Nach dem Gymnasium studierte ich nicht, wie du weißt, weil mein Vater dagegen war. Der Verzicht fiel mir sehr schwer. Gerade deshalb war ich sehr wissensdurstig. Kaum erzählte mir ein junger Mann, er studiere Medizin, bestürmte ich ihn mit Fragen, wollte alles wissen. Genauso machte ich es auch mit den zukünftigen Ingenieuren, den angehenden Rechtsanwälten. Dieses Verhalten von mir verwirrte sie, es wirkte, als interessierte ich mich mehr für die Tätigkeit als für die Person, und so war es ja vielleicht tatsächlich. Wenn ich mit meinen Freundinnen, meinen Schulkameradinnen redete, hatte ich das Gefühl, als gehörte ich einer Welt an, die Lichtjahre entfernt war. Die große Wasserscheide zwischen mir und ihnen war die weibliche Koketterie. Mir ging sie vollkommen ab, während meine Gefährtinnen sie im höchsten Grade vervollkommnet hatten. Hinter ihrer scheinbaren Überheblichkeit, hinter ihrer scheinbaren Selbstsicherheit sind die Männer äußerst zerbrechlich und naiv; sie haben in ihrem Inneren äußerst einfache Hebel, es genügt, einen zu betätigen, und schon fallen sie in die Pfanne wie gebratene kleine Fische. Ich habe das ziemlich spät begriffen, aber meine Freundinnen wußten es schon damals, mit fünfzehn, sechzehn Jahren.

Mit natürlichem Talent nahmen sie Briefchen an oder lehnten sie ab, schrieben selbst welche in dem einen oder anderen Ton, verabredeten ein Rendezvous und gingen nicht oder erst sehr spät hin. Beim Tanzen rieben sie den richtigen Körperteil an ihrem Partner, und während sie sich an ihn drängten, sahen sie dem Mann mit dem innigen Ausdruck junger Rehe in die Augen. Das ist die weibliche List, das sind die Schmeicheleien, die zum Erfolg bei Männern führen. Ich aber, verstehst du, ich war wie eine Kartoffel, ich begriff überhaupt nichts von all dem, was um mich herum geschah. Auch wenn es dir seltsam erscheinen mag, gab es ein tiefes Gefühl der Aufrichtigkeit in mir, und diese Aufrichtigkeit sagte mir, daß ich niemals einen Mann würde täuschen können. Ich dachte, daß ich eines Tages einem jungen Burschen begegnen würde, mit dem ich mich bis spät in die Nacht unterhalten könnte, ohne je müde zu werden; indem wir redeten und redeten, würden wir merken, daß wir die Dinge auf die gleiche Weise sahen, daß wir die gleichen Gefühle hegten. Daraus würde dann Liebe entstehen, und es würde eine auf Freundschaft, auf Achtung und nicht auf die Leichtigkeit eines Betrugs gegründete Liebe sein.

Ich wollte eine Liebesfreundschaft, und darin war ich sehr männlich, männlich im antiken Sinn. Es war die gleichberechtigte Beziehung, glaube ich, die meine Verehrer abschreckte. So kam ich allmählich in die Rolle, die gewöhnlich den häßlichen Mädchen zukommt. Mein Freundeskreis war groß, aber es waren einseitige Freundschaften; alle kamen nur zu mir, um mir ihren Liebeskummer zu gestehen. Meine Gefährtinnen heirateten eine nach der anderen. Es kommt mir vor, als sei ich an einem bestimmten Punkt meines Lebens nur noch auf Hochzeiten gegangen. Meine Altersgenossinnen bekamen Kinder, und ich war immer die unverheiratete Tante, ich lebte zu Hause bei meinen Eltern und hatte mich schon fast damit abgefunden, für immer unverheiratet zu bleiben. »Was geht bloß in deinem Kopf vor«, sagte meine Mutter, »ist es denn möglich, daß dir einfach keiner gefällt?« Für meine Eltern war es eindeutig, daß die Schwierigkeiten, die ich mit dem anderen Geschlecht hatte, von der Verschrobenheit meines Charakters herrührten. Ob ich traurig darüber war? Ich weiß nicht.

Ehrlich gesagt, empfand ich innerlich nicht den brennenden Wunsch nach einer Familie. Die Vorstellung, ein Kind auf die Welt zu bringen, verursachte mir ein gewisses Mißtrauen. Ich hatte selbst als Kind zu viel gelitten und fürchtete mich davor, ein unschuldiges Wesen ebenso leiden zu lassen. Darüber hinaus war ich, obgleich ich noch zu Hause lebte, vollkommen unabhängig, konnte frei über jede Stunde meiner Tage verfügen. Um ein wenig Geld zu verdienen, gab ich Nachhilfeunterricht in Griechisch und Latein, meinen Lieblingsfächern. Sonst hatte ich keine weiteren Verpflichtungen, konnte ganze Nachmittage in der Stadtbibliothek verbringen, ohne irgend jemandem Rechenschaft ablegen zu müssen, konnte so oft ins Gebirge fahren, wie ich Lust hatte.

Kurz und gut, verglichen mit dem anderer Frauen, war mein Leben frei, und ich fürchtete sehr, diese Freiheit zu verlieren. Dennoch empfand ich diese ganze Freiheit, dieses scheinbare Glück im Lauf der Zeit als immer unechter, immer erzwungener. Die Einsamkeit, die mir anfangs wie ein Privileg erschienen war, begann, mich zu belasten. Meine Eltern wurden allmählich alt, mein Vater hatte einen Schlaganfall gehabt und konnte nicht mehr gut gehen. Jeden Tag begleitete ich ihn zum Zeitungkaufen, ich mag etwa siebenundzwanzig oder achtundzwanzig Jahre alt gewesen sein. Er stützte sich auf meinen Arm, und als ich so mein Bild zusammen mit dem seinen in den Schaufenstern gespiegelt sah, fühlte ich mich plötzlich ebenfalls alt, und mir wurde klar, welche Wende mein Leben zu nehmen begann: In Kürze würde er sterben, meine Mutter würde ihm folgen, ich würde allein bleiben in einem großen Haus voller Bücher, zum Zeitvertreib würde ich vielleicht sticken oder Aquarelle malen, und die Jahre würden nur so verfliegen. Bis eines Morgens jemand, besorgt darüber, daß er mich mehrere Tage nicht gesehen hätte, die Feuerwehr rufen würde, und die Feuerwehrmänner die Türe aufbrechen und meinen Körper auf dem Boden liegend finden würden. Ich wäre tot, und was von mir bliebe, wäre nicht viel anders als die vertrocknete Hülle, die auf der Erde liegenbleibt, wenn Insekten sterben.

Ich fühlte, wie mein Frauenkörper verblühte, ohne gelebt zu haben, und das machte mich sehr traurig. Und außerdem fühlte ich mich allein, sehr allein. Seit meiner Geburt hatte ich nie jemanden gehabt, mit dem ich reden konnte, wirklich reden, meine ich. Natürlich war ich sehr intelligent, las viel, wie mein Vater zum Schluß mit einem gewissen Stolz sagte: »Olga wird nie heiraten, weil sie zu viel im Kopf hat.« Aber diese ganze angebliche Intelligenz führte nirgendwohin, ich war nicht fähig, was weiß ich, eine große Reise zu machen, etwas gründlich zu studieren. Weil ich nicht auf die Universität gegangen war, fühlte ich mich, als hätte man mir die Flügel gestutzt. Doch in Wirklichkeit lag die Ursache meiner Ungeschicklichkeit, meiner Unfähigkeit, meine Begabungen gewinnbringend einzusetzen, nicht darin. Schließlich hatte Schliemann Troja auch auf eigene Faust entdeckt. Ich wurde von etwas anderem gebremst, von dem kleinen Toten in mir, erinnerst du dich? Er bremste mich, er hinderte mich daran, weiterzugehen. Ich stand da und wartete. Worauf? Davon hatte ich nicht die blasseste Ahnung.

Am Tag, an dem Augusto zum ersten Mal zu uns nach Hause kam, hatte es geschneit. Ich weiß es noch, weil hier in der Gegend selten Schnee fällt, und weil unser Gast, eben wegen des Schnees, zu spät zum Mittagessen gekommen war. Augusto befaßte sich, genau wie mein Vater, mit Kaffeeimport. Er war nach Triest gekommen, um über den Verkauf unserer Firma zu verhandeln. Nach dem Schlaganfall hatte mein Vater, da er keine männlichen Erben hatte, beschlossen, die Firma abzugeben, um seine letzten Jahre in Frieden zu verbringen. Bei dieser ersten Begegnung war mir Augusto sehr unsympathisch erschienen. Er kam aus Italien, wie man bei uns sagte, und wie alle Italiener hatte er etwas Geziertes, das ich störend fand. Es ist seltsam, kommt aber häufig vor, daß für unser Leben wichtige Menschen uns im ersten Augenblick überhaupt nicht gefallen. Nach dem Essen hatte sich mein Vater zur Mittagsruhe zurückgezogen, und ich war im Wohnzimmer zurückgelassen worden, um ihm Gesellschaft zu leisten, bis es Zeit für ihn würde, den Zug zu nehmen. Ich war überaus verärgert. In dieser einen Stunde oder etwas mehr, die wir zusammensaßen, behandelte ich ihn sehr schnippisch. Auf seine Fragen antwortete ich einsilbig, wenn er schwieg, schwieg ich ebenfalls. Als er an der Tür zu mir sagte: »Also dann, auf Wiedersehen, Signorina«, streckte ich ihm mit der gleichen Herablassung die Hand hin, mit der eine Edelfrau die ihre einem Mann niedrigeren Ranges gewährt.

»Dafür, daß er Italiener ist, ist er recht nett, der Signor Augusto«, sagte meine Mutter am Abend beim Essen. »Er ist ein anständiger Mensch«, erwiderte mein Vater. »Und er versteht sein Geschäft.« Rate mal, was an der Stelle geschah? Meine Zunge ging von alleine los: »Und er trägt keinen Ehering am Finger«, rief ich mit plötzlicher Lebhaftigkeit. Als mein Vater antwortete: »Er ist ja auch Witwer, der Ärmste«, war ich schon rot wie eine Pfefferschote und mir selbst gegenüber in tiefer Verlegenheit.

Zwei Tage später fand ich, als ich von einer Nachhilfestunde heimkam, im Eingang ein in Silberpapier gewickeltes Paket vor. Es war das erste Paket, das ich in meinem Leben erhielt. Ich konnte mir nicht vorstellen, wer es mir geschickt hatte. Unter dem Papier steckte ein Kärtchen: *Kennen Sie diese Süßigkeiten?* Darunter stand Augustos Unterschrift.

Am Abend, mit dem Konfekt auf meinem Nachttisch, konnte ich nicht einschlafen. Er wird es aus Höflichkeit gegenüber meinem Vater geschickt haben, sagte ich mir, und aß unterdessen ein Stück Marzipan nach dem anderen. Drei Wochen später kam er wieder nach Triest, »aus geschäftlichen Gründen«, sagte er beim Mittagessen, aber anstatt gleich wieder abzureisen wie beim letzten Mal, blieb er eine Weile in der Stadt. Bevor er sich verabschiedete, bat er meinen Vater um Erlaubnis, eine Rundfahrt im

Auto mit mir machen zu dürfen, und mein Vater willigte ein, ohne mich überhaupt zu fragen. Den ganzen Nachmittag fuhren wir durch die Straßen der Stadt, er sprach wenig, fragte mich nach den Baudenkmälern, und dann schwieg er und hörte mir zu. Er hörte mir zu, das war ein wahres Wunder für mich.

Am Morgen seiner Abreise ließ er mir einen Strauß roter Rosen bringen. Meine Mutter war ganz aufgeregt, ich tat so, als berührte es mich gar nicht, aber bevor ich das Briefchen öffnete und las, wartete ich viele Stunden. Bald besuchte er uns einmal die Woche. Jeden Samstag kam er nach Triest, und jeden Sonntag fuhr er wieder zurück in seine Stadt. Weißt du noch, was der Kleine Prinz machte, um den Fuchs zu zähmen? Er ging jeden Tag zu seiner Höhle und wartete, bis er herauskam. So lernte der Fuchs allmählich, ihn zu erkennen und keine Angst zu haben. Ja, nicht nur, er lernte auch, gerührt zu sein beim Anblick all dessen, was ihn an seinen kleinen Freund erinnerte. Von der gleichen Taktik verführt, begann auch ich, schon am Donnerstag unruhig zu werden und auf ihn zu warten. Die Zähmung hatte begonnen. Nach einem Monat drehte sich mein ganzes Leben um das Warten auf das Wochenende. In kurzer Zeit war eine große Vertrautheit zwischen uns aufgekommen. Mit ihm konnte ich endlich reden, er schätzte meine Intelligenz und meinen Wissensdurst; ich schätzte an ihm die Gelassenheit, die Bereitschaft zuzuhören, das Gefühl von Schutz und Sicherheit, das ältere Männer einer jungen Frau geben können.

Wir heirateten mit einer schlichten Zeremonie am ersten Juni 1940. Zehn Tage später trat Italien in den Krieg ein. Aus Sicherheitsgründen übersiedelte meine Mutter in ein kleines Bergdorf in Venetien, während ich mit meinem Mann nach Aquila ging.

Du hast die Geschichte jener Jahre nur in Büchern gelesen, hast sie studiert, anstatt sie zu erleben, daher mag es dir seltsam erscheinen, daß ich kein einziges Mal auf die tragischen Ereignisse jener Zeit angespielt habe. Es gab den Faschismus, die Rassengesetze, der Krieg war ausgebrochen, und ich befaßte mich immer weiter nur mit meinem kleinen persönlichen Unglück, mit den winzigsten Regungen meiner Seele. Glaub aber nicht, daß meine Haltung die Ausnahme war, im Gegenteil. Abgesehen von einer kleinen politisierten Minderheit, verhielten sich in unserer Stadt alle so. Mein Vater, zum Beispiel, hielt den Faschismus für eine Farce. Wenn er zu Hause war, bezeichnete er den Duce als »diesen Melonenverkäufer«. Dann jedoch ging er mit den Parteibonzen zum Abendessen und unterhielt sich bis spät in die Nacht mit ihnen. Auf die gleiche Weise fand ich es vollkommen lächerlich und lästig, zum »Italienischen Samstag« zu gehen, in die Farben einer Witwe gekleidet an den Aufmärschen teilzunehmen und zu singen. Trotzdem ging ich hin, dachte, es sei nur eine Unannehmlichkeit, der man sich beugen mußte, um in Ruhe zu leben. Natürlich ist so ein Verhalten nicht großartig, aber doch sehr verbreitet. Ruhig zu leben ist eines der höchsten Ziele des Menschen, das war damals so und hat sich wahrscheinlich bis heute nicht geändert.

In Aquila zogen wir in die Wohnung von Augustos Eltern, eine geräumige Etage im ersten Stock eines Adelspalasts im Zentrum. Sie war mit düsteren, schweren Möbeln eingerichtet, es gab wenig Licht, der Anblick war finster. Beim Eintreten fühlte ich, wie sich mein Herz zusammenzog. Und hier soll ich leben, fragte ich mich, mit einem Mann, den ich kaum sechs Monate kenne, in einer Stadt, in der ich keinen einzigen Freund habe? Mein Mann begriff sofort, in welchem Zustand der Verlorenheit ich mich befand, und die ersten beiden Wochen tat er alles Menschenmögliche, um mich zu zerstreuen. Jeden zweiten Tag fuhren wir mit dem Auto in die Berge der Umgebung. Wir wanderten beide leidenschaftlich gern. Als ich diese herrlichen Berge sah, die Dörfer, die sich wie in den Weihnachtskrippen oben auf die Kuppen duckten, fühlte ich mich etwas erleichtert, mir war, als hätte ich den Norden und mein Geburtshaus doch nicht ganz verlassen. Wir sprachen weiterhin viel miteinander. Augusto liebte die Natur, besonders Insekten, und während wir gingen, erklärte er mir eine Menge. Einen großen Teil meines Wissens auf dem Gebiet der Naturwissenschaften verdanke ich ihm.

Am Ende jener beiden Wochen, die unsere Hochzeitsreise gewesen waren, fing er wieder zu arbeiten an, und ich begann mein Leben allein in der großen Wohnung. Außer mir gab es noch eine alte Haushälterin, die sich um alles kümmerte. Wie alle bürgerlichen Ehefrauen mußte ich nur das Mittagessen und das Abendessen planen, sonst hatte ich nichts zu tun. Ich nahm die Gewohnheit an, jeden Tag allein lange Spaziergänge zu machen. Mit stürmischem Schritt lief ich die Straßen hinauf und hinunter, viele Gedanken gingen mir durch den Kopf, und es gelang mir nicht, Klarheit in all diese Gedanken zu bringen. Liebe ich ihn, fragte ich mich, plötzlich innehaltend, oder war alles nur eine große Täuschung? Wenn wir bei Tisch oder abends im Wohnzimmer saßen, betrachtete ich ihn und fragte mich dabei: Was empfinde ich? Ich empfand Zärtlichkeit, das war sicher, und bestimmt empfand er auch Zärtlichkeit für mich. Aber war das Liebe? War das alles? Da ich nie etwas anderes empfunden hatte, wußte ich keine Antwort.

Nach einem Monat kamen meinem Mann die ersten Gerüchte zu Ohren. »Die Deutsche«, hatten anonyme Stimmen behauptet, »läuft zu jeder Tages- und Nachtzeit allein in der Gegend herum.« Ich war entsetzt. Da ich mit anderen Gewohnheiten aufgewachsen war, hätte ich es nie für möglich gehalten, daß unschuldige Spaziergänge Anstoß erregen könnten. Augusto tat es leid, er begriff, daß mir die Sache unverständlich war, dennoch bat er mich um des Friedens in der Stadt und um seines guten Namens willen, meine einsamen Streifzüge aufzugeben. Nach sechs Monaten dieses Lebens fühlte ich mich vollkommen abgestumpft. Der kleine Tote in mir war zu einem riesigen Toten geworden, ich handelte wie ein Automat, mein Blick war erloschen. Wenn ich sprach, hörte ich meine Worte von ferne, als kämen sie aus dem Mund eines anderen.

Unterdessen hatte ich auch die Frauen von Augustos Kollegen kennengelernt und traf mich donnerstags mit ihnen in einem Café im Zentrum. Obwohl wir ungefähr gleichaltrig waren, hatten wir uns wahrhaftig wenig zu sagen. Wir sprachen dieselbe Sprache, aber das war unsere einzige Gemeinsamkeit.

In sein Milieu zurückgekehrt, begann Augusto in kurzer Zeit, sich wieder genauso zu benehmen wie ein Mann seiner Gegend. Beim Essen schwiegen wir nun fast immer; wenn ich mich bemühte, ihm etwas zu erzählen, antwortete er einsilbig ja oder nein. Abends ging er häufig noch in den Klub, und wenn er zu Hause blieb, schloß er sich in seinem Arbeitszimmer ein, um seine Käfersammlung zu ordnen. Sein großer Traum war, ein Insekt zu entdecken, das noch niemandem bekannt war, so würde sein Name für immer in den wissenschaftlichen Büchern stehen. Ich hätte den Namen gern auf andere Weise weitergegeben, nämlich mit einem Kind, ich war nun dreißig Jahre alt und fühlte, daß die Zeit immer schneller an mir vorbeiglitt. Doch in dieser Hinsicht standen die Dinge sehr schlecht. Nach einer ersten recht enttäuschenden Nacht war nicht mehr viel passiert. Ich hatte das Gefühl, daß Augusto mehr als alles andere zu den Essenszeiten jemanden zu Hause vorfinden wollte, jemanden, den er am Sonntag stolz im Dom zur Schau stellen konnte; an der Person, die hinter diesem beruhigenden Bild stand, schien ihm nicht sonderlich viel zu liegen. Wo war der angenehme und zugewandte Mann hingekommen, der mich umworben hatte? War es möglich, daß die Liebe so enden mußte? Augusto hatte mir erzählt, daß die Vogelmännchen im Frühling lauter singen, um den Weibchen zu gefallen und sie zu bewegen, ihr Nest mit ihnen zu bauen. Er hatte es genauso gemacht, und als ich sicher im Nest saß, hatte er aufgehört, sich für mein Vorhandensein zu interessieren. Ich war da, wärmte ihn und fertig.

Ob ich ihn haßte? Nein, es wird dir seltsam vorkommen, aber ich konnte ihn nicht hassen. Um jemanden zu hassen, muß er dich verletzen, dir weh tun. Augusto tat gar nichts, das war das Schlimme. An nichts stirbt man eher, als man an Schmerz stirbt, denn gegen den Schmerz kann man sich auflehnen, gegen das Nichts nicht.

Wenn ich mit meinen Eltern telefonierte, sagte ich natürlich, daß alles gutgehe, achtete darauf, daß meine Stimme so klang wie die einer glücklichen jungen Ehefrau. Sie glaubten mich in besten Händen, und ich wollte ihnen diese Gewißheit nicht nehmen. Meine Mutter lebte immer noch im Gebirge versteckt, und mein Vater wohnte allein in der Villa unserer Familie, mit einer entfernten Verwandten, die ihn versorgte. »Irgendwelche Neuigkeiten?« fragte er mich einmal im Monat, und ich antwortete regelmäßig nein, noch nicht. Er legte großen Wert auf einen Enkel, im Alter war eine Weichheit in ihm aufgekommen, die er früher nie gehabt hatte. Durch diese Veränderung fühlte ich mich ihm ein wenig näher, und es tat mir leid, seine Erwartungen zu enttäuschen. Gleichzeitig jedoch hatte ich nicht genug Zutrauen, um ihm die Gründe für diese anhaltende Unfruchtbarkeit zu erzählen. Meine Mutter schickte mir lange, vor Rhetorik triefende Briefe. Meine geliebte Tochter, schrieb sie oben auf das Blatt, und darunter zählte sie in allen Einzelheiten die wenigen Dinge auf, die ihr an jenem Tag zugestoßen waren. Am Ende teilte sie mir immer mit, das soundsovielte Strampelhöschen für das zukünftige Enkelkind fertiggestrickt zu haben. Ich schrumpfte unterdessen immer mehr zusammen, jeden Morgen, wenn ich in den Spiegel sah, fand ich mich häßlicher. Ab und zu sagte ich abends zu Augusto:

»Warum reden wir nicht ein wenig?« – »Worüber denn?« erwiderte er, ohne die Augen von der Lupe zu heben, mit der er gerade ein Insekt untersuchte. »Ich weiß nicht«, sagte ich, »wir könnten uns doch was erzählen.« Daraufhin schüttelte er den Kopf: »Olga«, sagte er, »du hast wirklich eine kranke Phantasie.«

Es ist ein Gemeinplatz, daß Hunde nach einem langen Zusammenleben mit ihrem Herrn diesem schließlich immer ähnlicher werden. Ich hatte den Eindruck, daß meinem Mann das gleiche passierte, je mehr Zeit verging, um so mehr glich er ganz und gar einem Käfer. Seine Bewegungen hatten nichts Menschliches mehr, sie waren nicht fließend, sondern abgezirkelt, jede Geste ging ruckhaft vonstatten. Und auch die Stimme war tonlos, kam mit metallischem Schnarren von irgendwo aus dem Hals. Von den Insekten und seiner Arbeit war er wie besessen, doch außer diesen beiden Dingen gab es nichts, was auch nur im mindesten seine Begeisterung hervorrief. Einmal hatte er mir, es mit der Pinzette hochhaltend, ein Insekt gezeigt, ich glaube, es hieß Maulwurfsgrille. »Sieh nur, was für Kiefer die hat«, sagte er zu mir, »damit kann sie wirklich alles fressen.« In derselben Nacht träumte ich von ihm in dieser Form, er war riesig und verschlang mein Brautkleid, als wäre es Pappe.

Nach einem Jahr begannen wir, in getrennten Zimmern zu schlafen; er blieb bis spätnachts mit seinen Käfern auf und wollte mich nicht stören, das sagte er jedenfalls. Wenn ich so erzähle, wird dir meine Ehe als etwas außergewöhnlich Schreckliches erscheinen, aber außergewöhnlich war daran einfach gar nichts. Fast alle Ehen waren damals so, kleine häusliche Höllen, in denen einer von beiden früher oder später untergehen mußte.

Warum ich mich nicht auflehnte, warum ich nicht meinen Koffer nahm und nach Triest zurückkehrte?

Weil es damals weder offizielles Getrenntleben noch Scheidung gab. Um eine Ehe zu beenden, mußten schwere Mißhandlungen vorliegen, oder man mußte ein aufrührerisches Temperament haben, davonlaufen, für immer ruhelos durch die Welt ziehen. Aber Auflehnung gehört, wie du weißt, nicht zu meinem Charakter, und Augusto hat nie auch nur die Stimme gegen mich erhoben, geschweige denn die Hand. Er hat es nie an etwas fehlen lassen. Sonntags nach der Messe gingen wir in der Konditorei der Gebrüder Nurzia vorbei, und er ließ mich alles kaufen, worauf ich Lust hatte. Du wirst dir unschwer vorstellen können, mit welchen Empfindungen ich jeden Morgen aufwachte. Nach drei Ehejahren hatte ich nur noch einen Gedanken im Sinn, und das war der Gedanke an den Tod.

Über seine vorherige Frau sprach Augusto nie mit mir, und die wenigen Male, als ich ihn, sehr zurückhaltend, danach gefragt hatte, hatte er das Thema gewechselt. Mit der Zeit, während ich an den Winternachmittagen in den gespenstischen Zimmern umherwanderte, war ich zu der Überzeugung gelangt, daß Ada – so hieß Augustos erste Frau – nicht an einer Krankheit oder einem Unfall gestorben war, sondern sich umgebracht hatte. Wenn die Haushälterin fort war, verbrachte ich meine Zeit damit, Bohlen loszuschrauben, Schubladen auseinanderzumontieren, voller Raserei nach einer Spur zu suchen, einem Zeichen, das meinen Verdacht bestätigte. An einem Regentag fand ich unten in einem Schrank Frauenkleider, es waren ihre. Ich nahm ein dunkles heraus und zog es an, wir hatten die gleiche Größe. Als ich mich im Spiegel betrachtete, begann ich zu weinen. Ich weinte verhalten, ohne Schluchzen, wie jemand, der schon weiß, daß sein Schicksal besiegelt ist. In einem Winkel der Wohnung stand ein hölzernes Betpult, das Augustos Mutter, einer sehr frommen Frau, gehört hatte. Wenn ich nicht wußte, was ich tun sollte, schloß ich mich in jenem Zimmer ein und kniete mich stundenlang darauf, mit gefalteten Händen. Ob ich betete? Ich weiß nicht. Ich sprach, oder versuchte, mit jemandem zu sprechen, von dem ich annahm, er stehe über mir. Herr, sagte ich, laß mich meinen Weg finden, und wenn das mein Weg ist, so hilf mir, ihn zu ertragen. Der regelmäßige Kirchgang – zu dem ich durch meinen Status als Ehefrau gezwungen war – hatte mich veranlaßt, mir erneut viele Fragen zu stellen, Fragen, die ich seit meiner Kindheit in mir begraben hatte. Der Weihrauch machte mich benommen, die Orgelmusik ebenso. Wenn ich die Worte der Heiligen Schrift hörte, regte sich schwach etwas in mir. Wenn ich den Pfarrer aber ohne Paramente auf der Straße traf, wenn ich seine Kartoffelnase und seine Schweinsäuglein betrachtete, wenn ich mir seine banalen und unweigerlich falschen Fragen anhörte, regte sich nichts mehr, und ich sagte mir, es ist eben doch ein Betrug, ein Mittel, damit schwache Geister die Unterdrückung besser aushalten, in der sie leben. Dennoch liebte ich es, zu Hause in der Stille im Evangelium zu lesen. Viele Worte Jesu fand ich außerordentlich, sie beflügelten mich so, daß ich sie mehrmals laut wiederholte.

Meine Familie war gar nicht religiös, mein Vater betrachtete sich als Freidenker, und meine Mutter – wie ich dir schon sagte, seit zwei Generationen konvertiert – ging einzig und allein aus gesellschaftlichem Konformismus zur Messe. Die seltenen Male, die ich sie über Glaubensdinge befragt hatte, hatte sie gesagt: »Ich weiß nicht, in unserer Familie gibt es keine Religion.« Keine Religion. Diese Worte lasteten wie ein Mühlstein auf der empfindsamsten Phase meiner Kindheit, der, in der ich mich nach den größten Dingen fragte. Wie eine Art Schandmal kam es mir vor, wir hatten eine Religion aufgegeben, um eine andere anzunehmen, vor der wir nicht die mindeste Achtung hatten. Wir waren Verräter, und als Verräter war nirgends Platz für uns, weder im Himmel noch auf der Erde.

So war ich, abgesehen von den wenigen Anekdoten, die ich bei den Nonnen gelernt hatte, nie weiter mit religiösem Wissen in Berührung gekommen. Das Reich Gottes ist in euch, wiederholte ich mir immer wieder, während ich durch die leere Wohnung ging, und versuchte dabei, mir vorzustellen, wo es denn sei. Ich sah mein Auge wie ein Periskop in mich eintauchen, die Körperhöhlen erforschen, die geheimsten Windungen meines Geistes. Wo war das Reich Gottes? Es gelang mir nicht, es auszumachen, Nebel umgab mein Herz, ein dichter Nebel und nicht die lichten grünen Hügel, von denen ich annahm, sie seien das Paradies. In Augenblicken der Klarheit sagte ich mir, ich werde verrückt, wie alle alten Jungfern und Witwen bin ich langsam, unmerklich einem mystischen Wahn verfallen. Nach vier Jahren dieses Lebens hatte ich immer mehr Mühe, das Eingebildete vom Wahren zu unterscheiden.

Die Glocken des nahen Domes schlugen alle Viertel-stunde, und um sie nicht oder weniger laut zu hören, stopfte ich mir Watte in die Ohren.

Nach und nach hatte die Vorstellung von mir Besitz er-griffen, daß Augustos Insekten keineswegs tot seien, nachts hörte ich das Knistern ihrer Beine, sie liefen überall in der Wohnung herum, krabbelten die Tapeten hinauf, kratzten auf den Küchenfliesen, streiften über die Teppi-che im Wohnzimmer. Ich lag im Bett und hielt den Atem an, während ich darauf wartete, daß sie dort unter der Türritze durch in mein Zimmer kommen würden. Vor Augusto versuchte ich meinen Zustand zu verbergen. Mit einem Lächeln auf den Lippen verkündete ich ihm mor-gens, was es zum Mittagessen geben würde, und lächelte weiter, bis er zur Tür hinaus war. Mit dem gleichen ste-reotypen Lächeln empfing ich ihn bei seiner Rückkehr.

Ebenso wie meine Ehe war auch der Krieg in seinem fünften Jahr, und im Februar waren auch auf Triest Bom-ben gefallen. Beim letzten Angriff war das Haus meiner Kindheit völlig zerstört worden. Das einzige Opfer war das Kutschpferd meines Vaters gewesen, es wurde im Gar-ten gefunden, zwei Beine fehlten.

Damals gab es noch kein Fernsehen, die Nachrichten verbreiteten sich langsamer. Daß wir das Haus verloren hatten, erfuhr ich am darauffolgenden Tag, mein Vater rief mich an. Schon daran, wie er sich meldete, merkte ich, daß etwas Schwerwiegendes geschehen war, er hatte die Stimme eines Menschen, der schon vor langer Zeit aufge-hört hat zu leben. Ohne einen Ort, an den ich zurückkeh-ren konnte, fühlte ich mich nun wirklich verloren. Zwei oder drei Tage lang irrte ich wie in Trance durch die Wohnung. Es gab nichts, das mich aus meiner Benommenheit aufrütteln konnte, in einer einzigen, einförmigen und farblosen Abfolge sah ich meine Jahre eines nach dem anderen verstreichen bis zum Tod.

Weißt du, welchen Fehler man immer wieder macht? Den, zu glauben, das Leben sei unwandelbar, und wenn man einmal einen Weg eingeschlagen habe, müsse man ihn auch bis zum Ende gehen. Das Schicksal hat viel mehr Phantasie als wir. Gerade wenn du glaubst, du befändest dich in einer ausweglosen Situation, wenn du den Gipfel höchster Verzweiflung erreichst, verändert sich mit der Geschwindigkeit eines Windstoßes alles, dreht sich, und plötzlich lebst du unvermutet ein neues Leben.

Zwei Monate nach der Bombardierung des Hauses war der Krieg vorbei. Ich fuhr sofort nach Triest, wo mein Vater und meine Mutter schon übergangsweise in eine Wohnung mit anderen Leuten gezogen waren. Es gab so viele praktische Dinge zu erledigen, daß ich nach kaum einer Woche die in Aquila verbrachten Jahre schon fast vergessen hatte. Einen Monat später kam auch Augusto nach. Er mußte die von meinem Vater gekaufte Firma wieder selbst in die Hand nehmen, all die Kriegsjahre hatte er anderen die Leitung überlassen und fast gar nicht gearbeitet. Und außerdem hatten mein Vater und meine Mutter kein Haus mehr und waren nun wirklich alt. Mit einer Schnelligkeit, die mich überraschte, beschloß Augusto, seine Heimatstadt zu verlassen und nach Triest zu übersiedeln; er kaufte diese kleine Villa auf der Hochebene, und noch vor dem Herbst zogen wir alle zusammen dort ein.

Entgegen aller Voraussicht war meine Mutter die, die zuerst ging, sie starb kurz nach Sommeranfang. Jene Zeit der Einsamkeit und Angst hatte ihre unerschütterliche Gesundheit ausgehöhlt. Mit ihrem Tod erwachte in mir wieder übermächtig der Wunsch nach einem Kind. Ich schlief wieder mit Augusto in einem Zimmer, aber trotzdem passierte nachts zwischen uns wenig oder nichts. Ich verbrachte viel Zeit damit, in Gesellschaft meines Vaters im Garten zu sitzen. Und an einem sonnigen Nachmittag sagte er zu mir: »An der Leber und an den Frauen können Heilquellen manchmal Wunder vollbringen.«

Zwei Wochen später begleitete Augusto mich zum Zug nach Venedig. Dort sollte ich am späten Vormittag einen anderen Zug nach Bologna nehmen und nach nochmaligem Umsteigen gegen Abend in Porretta Terme eintreffen. Ehrlich gesagt glaubte ich kaum an die Wirkung von Badekuren, mein Entschluß zu reisen beruhte vor allem auf einem großen Wunsch nach Alleinsein, ich fühlte das Bedürfnis, anders als in den vergangenen Jahren mit mir selbst umzugehen. Ich hatte gelitten. Fast alles in mir war abgestorben, ich war wie eine Wiese nach einem Brand, alles war schwarz, verkohlt. Nur durch Regen, durch Sonne und Luft würde das wenige, das geblieben war, ganz allmählich die Kraft finden, wieder zu wachsen.

Seit du weggefahren bist, lese ich keine Zeitung mehr, du hast sie ja immer gekauft, jetzt bringt sie mir keiner mehr. Zuerst fühlte ich mich ohne Zeitung etwas unwohl, doch dann hat sich das Unbehagen nach und nach in Erleichterung verwandelt. Daraufhin habe ich mich an Isaac Singers Vater erinnert. Von allen Gewohnheiten des modernen Menschen, sagte er, ist das Lesen von Tageszeitungen eine der schlechtesten. Morgens, in dem Augenblick, in dem die Seele am offensten ist, ergießt sich so das ganze Übel, das die Welt am Tag zuvor hervorgebracht hat, in sie hinein. Zu seiner Zeit genügte es, keine Zeitungen zu lesen, um sich zu retten, heute ist es nicht mehr möglich; da ist das Radio, das Fernsehen, es reicht, sie eine Sekunde lang einzuschalten, und schon hat das Übel uns erreicht, dringt in uns ein.

So ging es mir heute morgen. Während ich mich anzog, hörte ich in den Regionalnachrichten, daß man den Flüchtlingskonvois die Erlaubnis erteilt hat, die Grenze zu überschreiten. Seit vier Tagen warteten sie schon dort, man ließ sie nicht hinein, und sie konnten auch nicht zurück. Alte, Kranke, alleinstehende Frauen mit ihren Kindern waren dabei. Das erste Kontingent, sagte der Sprecher, ist schon im Lager des Roten Kreuzes eingetroffen und mit ersten Hilfsgütern versorgt worden. Daß dieser Krieg so nah und so grausam ist, verstört mich tief. Seit er ausgebrochen ist, lebe ich wie mit einem Stachel im

Herzen. Das ist ein banales Bild, gibt aber in seiner Banalität die Empfindung gut wieder. Nach einem Jahr kam zu dem Schmerz die Empörung hinzu, es schien mir unglaublich zu sein, daß niemand eingriff, um diesem Gemetzel ein Ende zu setzen. Dann mußte ich mich fügen: Dort gibt es keine Erdölquellen, sondern nur steinige Berge. Die Empörung hat sich mit der Zeit in Wut verwandelt, und diese Wut nagt weiter an mir wie ein hartnäckiger Holzwurm.

Es ist lächerlich, daß ich in meinem Alter von einem Krieg noch so betroffen bin. Im Grunde werden überall auf der Erde Dutzende von Kriegen am selben Tag geführt, in achtzig Jahren hätte ich mich eigentlich daran gewöhnen müssen. Seit ich geboren bin, zogen Flüchtlinge und siegreiche oder zerschlagene Heere durch das hohe gelbe Gras des Karsts: Zuerst kamen die durchreitenden Infanterieregimenter des Ersten Weltkriegs mit Bombenexplosionen auf der Hochebene; dann die Heimkehrer aus dem Rußlandfeldzug und aus Griechenland, die faschistischen und nazistischen Gemetzel, die Blutbäder in den Dolinen; und jetzt noch einmal das Getöse von Kanonen an der Grenzlinie, dieser Exodus von Unschuldigen, die vor dem großen Schlachten auf dem Balkan fliehen.

Als ich vor einigen Jahren im Zug von Triest nach Venedig fuhr, saß ein Medium im selben Abteil. Eine Frau, etwas jünger als ich, mit einem fladenförmigen Hütchen auf dem Kopf. Ich wußte natürlich nicht, daß sie ein Medium war, sie selbst hat es im Gespräch ihrer Nachbarin erzählt.

»Wissen Sie«, sagte sie, während wir die Karsthochebene überquerten, »wenn ich hier vorbeikomme, höre ich überall die Stimmen der Toten, ich kann keinen Schritt weit gehen, ohne ganz taub davon zu werden. Alle schreien schrecklich, je jünger sie gestorben sind, um so lauter schreien sie.« Dann erklärte sie ihr, daß dort, wo es eine Gewalttat gegeben habe, etwas für immer Entstelltes in der Atmosphäre hängenbleibe: Die Luft werde zersetzt, sei nicht mehr kompakt, und diese Zersetzung löse zum Ausgleich nicht etwa milde Gefühle aus, sondern fördere weitere Exzesse. Wo Blut geflossen sei, werde also noch weiteres vergossen werden, und darauf wieder weiteres. »Die Erde«, hatte das Medium abschließend gesagt, »ist wie ein Vampir, kaum leckt sie Blut, will sie neues, frisches, immer noch mehr.«

Jahrelang habe ich mich gefragt, ob über diesem Ort, an dem wir hier leben, nicht ein Fluch liegt, ich habe es mich gefragt und frage es mich immer noch, ohne daß es mir gelänge, eine Antwort zu finden. Weißt du noch, wie oft wir zusammen zur Burg von Monrupino gegangen sind? Wenn die Bora wehte, verbrachten wir Stunden damit, die Landschaft zu betrachten, es war ein bißchen so, als säße man in einem Flugzeug und schaute hinunter. Der Rundblick umfaßte dreihundertsechzig Grad, wir wetteiferten darin, wer zuerst einen Gipfel der Dolomiten ausmachen oder Grado von Venedig unterscheiden konnte. Jetzt, da es mir körperlich nicht mehr möglich ist, dort hinaufzugehen, muß ich nur die Augen schließen, um die gleiche Landschaft zu sehen.

Dank des Zaubers der Erinnerung erscheint alles vor mir und rund um mich, als befände ich mich auf dem Belvedere der Burg. Nichts fehlt, nicht einmal das Geräusch des Windes, die Gerüche der Jahreszeit, die ich gewählt habe. Ich sitze da und betrachte die von der Zeit zerfressenen Kalkpfeiler, das große kahle Gebiet, wo die Panzer üben, Istrien, das dunkle Vorgebirge, das aus dem Blau des Meeres wächst, ich betrachte alle Dinge rundum und frage mich zum soundsovielten Mal: Wenn es einen Mißklang gibt, wo ist er dann?

Ich liebe diese Landschaft, und diese Liebe hindert mich vielleicht daran, die Frage zu beantworten, das einzige, dessen ich sicher bin, ist der Einfluß der äußeren Umgebung auf den Charakter der Menschen, die an diesen Orten leben. Wenn ich oft so harsch und brüsk bin, genau wie du, so verdanken wir das dem Karst, seiner Erosion, seinen Farben, dem Wind, der dort pfeift. Wären wir, was weiß ich, in den Hügeln Umbriens geboren, wären wir vielleicht sanftmütiger und Reizbarkeit gehörte nicht zu unserem Temperament. Ob das besser gewesen wäre? Ich weiß es nicht, eine Gemütslage, die man nicht erlebt hat, kann man sich nicht vorstellen.

Wie auch immer, ein kleines Unheil hat es heute gegeben. Heute früh, als ich in die Küche kam, habe ich die Amsel leblos auf ihren Lappen gefunden. Schon in den letzten beiden Tagen hatte sie Zeichen von Unwohlsein gezeigt, sie fraß weniger und dämmerte zwischen einem Schnabelvoll und dem nächsten häufig ein. Der Tod muß kurz vor Tagesanbruch eingetreten sein, denn als ich sie in die Hand nahm, baumelte ihr Kopf von einer Seite zur anderen, als wäre innen drin eine Feder kaputtgegangen. Sie fühlte sich leicht an, zerbrechlich, kalt. Ich habe sie ein wenig gestreichelt, bevor ich sie in einen Lappen gewickelt habe. Ich wollte ihr etwas Wärme geben. Draußen fiel dichter Schneeregen, ich habe Buck in ein Zimmer gesperrt und bin hinausgegangen. Da ich nicht mehr die Kraft besitze, um den Spaten zur Hand zu nehmen und damit zu graben, habe ich das Beet mit der weichsten Erde ausgewählt und mit dem Fuß ein kleines Loch gebohrt. Ich habe die Amsel hineingelegt, habe es wieder zugescharrt, und bevor ich ins Haus zurückgegangen bin, habe ich noch das Gebet gesprochen, das wir immer beim Beerdigen unserer Vögelchen aufsagten. »Herr, nimm dieses winzig kleine Leben zu dir, so wie du auch alle anderen zu dir genommen hast.«

Weißt du noch, wie viele Vögel wir aufgesammelt und zu retten versucht haben, als du klein warst? Nach jedem stürmischen Tag fanden wir einen, der verletzt war, einen Finken, eine Meise, Spatzen, Amseln, einmal sogar einen Fichtenkreuzschnabel. Wir taten alles, um sie gesund zu machen, aber unsere Bemühungen waren fast nie von Erfolg gekrönt, von einem Tag auf den anderen fanden wir sie, ohne Vorwarnung, tot daliegen. Welche Tragödie war das dann jedesmal, auch wenn es schon oft vorgekommen war, warst du doch immer wieder verstört. Nach vollzogenem Begräbnis hast du dir mit der flachen Hand über Nase und Augen gewischt und dich dann in deinem Zimmer eingesperrt, »um Platz zu machen«.

Eines Tages hattest du mich nämlich gefragt, wie wir bloß die Mama wiederfinden sollten, der Himmel sei so groß, daß man sich leicht verirren könne. Ich hatte dir erzählt, der Himmel sei eine Art großes Hotel, wo jeder sein Zimmer habe, und in dem Zimmer träfen sich nach dem

Tod alle Personen, die einander liebgehabt hätten, und blieben für immer zusammen. Eine Zeitlang hatte diese Erklärung dich aufgeheitert. Erst nach dem Tod deines vierten oder fünften Goldfischs warst du wieder auf das Thema zurückgekommen und hattest mich gefragt: »Und wenn es keinen Platz mehr gibt?« – »Wenn es keinen Platz mehr gibt«, hatte ich dir geantwortet, muß man die Augen zumachen und eine Minute lang sagen ›Raum, erweitere dich‹, dann wird das Zimmer sofort größer.«

Erinnerst du dich noch an diese Bilder aus deiner Kindheit, oder hat dein Panzer sie ausgesperrt? Mir sind sie heute wieder eingefallen, als ich die Amsel begrub. Raum, erweitere dich, was für ein schöner Zauberspruch! Wenn ich mir die Mama, die Hamster, die Spatzen, die Goldfische vorstelle, muß dein Zimmer allerdings schon so gedrängt voll sein wie die Ränge eines Stadions. Bald werde auch ich dort hingehen; wirst du mich in deinem Zimmer wollen, oder werde ich mir nebenan eines mieten müssen? Und werde ich den ersten Menschen einladen dürfen, den ich geliebt habe, werde ich dir endlich deinen echten Großvater vorstellen dürfen?

Was ich an jenem Abend dachte und mir vorstellte, als ich in Porretta Terme aus dem Zug stieg? Überhaupt nichts. Der Geruch der Kastanien lag in der Luft, und meine erste Sorge war, die Pension zu finden, in der ich ein Zimmer bestellt hatte. Ich war damals noch sehr naiv, wußte nichts vom unaufhörlichen Wirken des Schicksals, und falls ich überhaupt eine Überzeugung hatte, dann nur die, daß sich die Dinge einzig und allein dank des guten oder weniger guten Gebrauchs meines Willens ereigneten. In dem Augenblick, in dem ich meine Füße und meinen Koffer auf den Bahnsteig gestellt hatte, war mein Wille gleich Null gewesen, ich wollte nichts, oder besser gesagt, ich wollte nur eins: meine Ruhe haben.

Deinen Großvater habe ich gleich am ersten Abend getroffen, er aß zusammen mit noch jemandem im Speisesaal meiner Pension. Abgesehen von einem alten Herrn gab es keine weiteren Gäste. Er diskutierte gerade ziemlich hitzig über Politik, und der Tonfall seiner Stimme störte mich sofort. Im Verlauf des Abendessens starrte ich ihn ein paarmal recht ungehalten an. Wie überrascht war ich, als ich am nächsten Tag feststellte, daß ausgerechnet er der Badearzt war! Etwa zehn Minuten lang hat er mir Fragen über meinen Gesundheitszustand gestellt, und während ich mich dann auszog, ist mir etwas sehr Unangenehmes passiert: Ich fing an zu schwitzen wie bei einer großen Anstrengung. Als er mein Herz abhörte, rief er: »Oho, welch ein Schrecken!«, und begann eher abstoßend zu lachen. Kaum drückte er leicht auf die Pumpe des Blutdruckmessers, schnellte die Quecksilbersäule blitzartig in höchste Höhen. »Leiden Sie an Bluthochdruck?« fragte er mich daraufhin. Ich war wütend auf mich selbst, sagte mir, daß er doch nur ein Arzt sei, der seine Arbeit tue, es sei weder normal noch angemessen, daß ich mich so aufrege. Doch so oft ich es mir auch wiederholte, es gelang mir nicht, mich zu beruhigen. An der Tür, als er mir das Rezept gab, drückte er mir die Hand. »Ruhen Sie sich aus«, sagte er. »Entspannen Sie sich, sonst werden auch die Bäderkuren nichts helfen.«

Am selben Abend setzte er sich zum Abendessen an meinen Tisch. Am nächsten Tag gingen wir schon plaudernd durch die Dorfstraßen spazieren. Die ungestüme Lebhaftigkeit, die mich am Anfang so irritiert hatte, begann mich nun neugierig zu machen. In allem, was er sagte, lag Leidenschaft, Begeisterung, es war unmöglich, in seiner Nähe zu sein und sich nicht von der Wärme angesteckt zu fühlen, die jeder Satz von ihm, sein ganzer Körper ausströmte.

Vor einer Weile habe ich in einer Zeitung gelesen, daß die Liebe nach den neuesten Theorien nicht im Herzen, sondern in der Nase ihren Ausgang nimmt. Wenn sich zwei Menschen begegnen und sich gefallen, beginnen sie, sich gegenseitig kleine hormonelle Botschaften zu schicken; diese Hormone – an den Namen kann ich mich nicht mehr erinnern – steigen durch die Nase bis ins Gehirn auf, und dort entfesseln sie in irgendeiner geheimen Windung den Sturm der Liebe. Die Gefühle, schloß der Artikel, seien also nichts weiter als unsichtbarer Gestank. Was für eine haarsträubende Dummheit! Wer im Leben je die wahre Liebe gefühlt hat, die große, die keine Worte hat, der weiß, daß diese Behauptungen nur eine weitere Niedertracht sind, mit der versucht wird, das Herz in die Verbannung zu schicken. Natürlich ist der Geruch des geliebten Menschen betörend. Doch damit er betörend wirken kann, muß vorher etwas anderes dasein, etwas ganz anderes, da bin ich sicher, als bloß ein Geruch.

Zum ersten Mal in meinem Leben hatte ich in den ersten Tagen, in denen ich mit Ernesto zusammen war, das Gefühl, mein Körper sei grenzenlos. Rund um mich fühlte ich eine Art unberührbare Aura, es war, als dehnten die Umrisse sich aus, und als versetzte dieses Wachstum die Luft bei jeder Bewegung in Schwingungen. Weißt du, wie sich die Pflanzen benehmen, wenn du sie einige Tage lang nicht gießt? Die Blätter werden schlapp, anstatt sich dem Licht entgegenzustrecken, hängen sie herunter wie die Ohren eines depressiven Kaninchens. Nun, mein Leben in den Jahren vorher war genau wie das einer Pflanze ohne Wasser gewesen, der Tau der Nacht hatte mir die allernötigste Nahrung zugeführt, um zu überleben, aber weiter bekam ich nichts und hatte nur die Kraft, mich auf den Beinen zu halten und Schluß. Es genügt, die Pflanze ein einziges Mal zu gießen, damit sie sich erholt, ihre Blätter wieder aufrichtet. So ging es mir in der ersten Woche. Sechs Tage nach meiner Ankunft merkte ich, als ich morgens in den Spiegel sah, daß ich eine andere geworden war: Die Haut war glatter, die Augen strahlender; während ich mich ankleidete, begann ich zu singen, das hatte ich seit meiner Kindheit nicht mehr getan.

Wenn du die Geschichte so von außen hörst, wirst du vielleicht ganz automatisch denken, daß sich unter dieser Euphorie wohl Fragen, eine Unruhe, quälende Zweifel regen mußten. Im Grunde war ich doch eine verheiratete Frau, wie konnte ich da leichten Herzens die Gesellschaft eines anderen Mannes annehmen? Aber es gab keine Frage, keinen Verdacht, und zwar nicht deshalb, weil ich besonders vorurteilslos gewesen wäre, sondern weil das, was ich erlebte, den Körper betraf, nur den Körper. Ich war wie ein Welpe, der, nachdem er lange durch die winterlichen Straßen geirrt ist, einen warmen Unterschlupf findet: Er fragt sich nichts, sitzt nur da und genießt die Geborgenheit. Darüber hinaus schätzte ich meine weiblichen Reize nicht sehr hoch ein, folglich kam es mir gar nicht in den Sinn, daß ein Mann diese Art von Interesse für mich aufbringen könnte.

Am ersten Sonntag, als ich zu Fuß zur Messe ging, hielt Ernesto mit dem Auto neben mir. »Wohin gehen Sie?« fragte er, sich aus dem Fenster beugend, und kaum hatte ich es ihm gesagt, öffnete er die Tür mit den Worten: »Glauben Sie mir, Gott freut sich viel mehr, wenn Sie, anstatt in die Kirche zu gehen, einen schönen Spaziergang mit mir machen!« Nach langer Fahrerei und vielen Kurven kamen wir zum Beginn eines Waldwegs, der sich zwischen den Eßkastanien hinschlängelte. Ich trug nicht die richtigen Schuhe, um auf einem unebenen Weg zu gehen, und stolperte dauernd. Als Ernesto meine Hand nahm, hielt ich es für das Natürlichste von der Welt. Wir gingen lange schweigend. Die Luft roch schon herbstlich, die Erde war feucht, an den Bäumen hingen viele gelbe Blätter, das Licht, das hindurchfiel, brach sich in verschiedenen gedämpften Farben. Irgendwann, mitten auf der Lichtung, begegnete uns ein riesiger Kastanienbaum. Da mir meine Eiche einfiel, ging ich auf ihn zu, streichelte ihn erst mit der Hand und lehnte dann meine Wange an den Stamm. Sofort legte Ernesto seinen Kopf neben meinen. Seit wir uns kennengelernt hatten, waren sich unsere Augen noch nie so nahe gewesen.

Am nächsten Tag wollte ich ihn nicht sehen. Die Freundschaft war dabei, sich in etwas anderes zu verwandeln, und ich hatte das Bedürfnis nachzudenken. Ich war ja kein kleines Mädchen mehr, sondern eine verheiratete Frau mit all ihrer Verantwortung, auch er war verheiratet und hatte noch dazu einen Sohn. Ich hatte längst mein ganzes Leben bis zum Alter vorhergesehen; daß plötzlich etwas, das ich nicht eingerechnet hatte, über mich hereinbrechen könnte, versetzte mich in große Angst. Ich wußte nicht, wie ich mich verhalten sollte. Das Neue erschreckt einen bei der ersten Berührung, um weiter vorwärtsgehen zu können, muß man dieses Gefühl von Beunruhigung überwinden. So dachte ich im einen Moment: »Das ist eine große Dummheit, die größte meines Lebens, ich muß einfach alles vergessen, das wenige, was gewesen ist, auslöschen.« Im nächsten sagte ich mir, daß die größte Dummheit die wäre, alles sein zu lassen, denn zum ersten Mal seit meiner Kindheit fühlte ich mich wieder lebendig, alles um mich herum und in mir vibrierte, es schien mir unmöglich, auf diesen neuen Zustand verzichten zu sollen. Außerdem hatte ich natürlich auch einen Verdacht, den Verdacht, den alle Frauen haben oder jedenfalls hatten: Daß er es nicht ernst meinte, daß er sich nur amüsieren wolle und Schluß. All diese Gedanken gingen mir durch den Kopf, während ich allein in dem traurigen Pensionszimmer saß.

In der Nacht konnte ich bis vier Uhr früh nicht einschlafen, ich war zu aufgeregt. Am nächsten Morgen jedoch fühlte ich mich überhaupt nicht müde, beim Ankleiden begann ich zu singen; in diesen wenigen Stunden war eine ungeheure Lebenslust in mir erwacht. Am zehnten Tag meines Kuraufenthalts schickte ich Augusto eine Karte: *Luft hervorragend, Essen mittelmäßig. Hoffen wir das Beste,* hatte ich darauf geschrieben und ihn mit einer herzlichen Umarmung gegrüßt. Die Nacht davor hatte ich mit Ernesto verbracht.

In jener Nacht war mir plötzlich etwas bewußt geworden, nämlich daß es zwischen unserer Seele und unserem Körper viele kleine Fenster gibt, durch die, wenn sie offen sind, die Gefühle hin und her strömen; sind sie nur angelehnt, dringt kaum etwas durch, und nur die Liebe kann sie alle auf einmal wie durch einen Windstoß schlagartig öffnen.

In der letzten Woche meines Aufenthalts in Porretta waren wir immer zusammen, machten lange Spaziergänge, redeten, bis wir einen trockenen Hals hatten. Wie sehr unterschieden sich Ernestos Äußerungen von denen Augustos! Alles an ihm war Leidenschaft, Begeisterung, er verstand es, die schwierigsten Themen mit vollkommener Leichtigkeit zu behandeln. Wir sprachen oft über Gott, über die Möglichkeit, daß es, außer der greifbaren Wirklichkeit, noch etwas anderes geben könnte. Er hatte im antifaschistischen Widerstand gekämpft und dem Tod mehr als einmal ins Auge gesehen. Damals war der Gedanke an etwas Höheres in ihm aufgekommen, nicht aus Furcht, sondern weil sich das Bewußtsein zu einem größeren Raum hin erweiterte. »Ich kann keinen Ritus einhalten«, sagte er zu mir, »ich werde nie in ein Gotteshaus gehen, werde nie an die Dogmen und die Geschichten glauben können, die Menschen wie ich erfunden haben.« Wir nahmen uns das Wort aus dem Mund, dachten die gleichen Dinge, sagten sie auf die gleiche Weise, es war, als kennten wir uns seit Jahren und nicht seit zwei Wochen.

Uns blieb nur noch wenig Zeit, die letzten Nächte

schliefen wir nicht mehr als eine Stunde, dämmerten nur kurz ein, um wieder zu Kräften zu kommen. Besonders begeisterte Ernesto sich für das Thema des vorbestimmten Schicksals. »Im Leben jedes Mannes«, sagte er, »gibt es nur eine einzige Frau, mit der er die vollkommene Einheit erreicht, und im Leben jeder Frau gibt es nur einen Mann, mit dem zusammen sie vollständig ist.« Einander zu begegnen sei jedoch wenigen, sehr wenigen vergönnt. Alle anderen seien gezwungen, in einem Zustand der Unzufriedenheit, der ständigen Sehnsucht zu leben. »Wie viele solche Begegnungen wird es geben«, fragte er in der Dunkelheit des Zimmers, »eine auf zehntausend, eine auf eine Million, auf zehn Millionen?« Eine auf zehn Millionen, ja. Alles andere sind Verlegenheitslösungen, oberflächliche, vergängliche Sympathie, körperliche Anziehung, gesellschaftliche Konventionen. Und nach diesen Betrachtungen sagte er immer wieder: »Was für ein Glück wir haben, hm? Wer weiß, was dahintersteckt, wer weiß das?«

Am Tag meiner Abreise, als wir in dem winzigen Bahnhof auf den Zug warteten, umarmte er mich und flüsterte mir ins Ohr: »In welchem Leben haben wir uns schon getroffen?« – »In vielen«, erwiderte ich und begann zu weinen. In meiner Handtasche hatte ich seine Adresse aus Ferrara versteckt.

Es ist zwecklos, dir meine Gefühle auf der langen Reise zu beschreiben, sie waren zu heftig, zu sehr miteinander im Widerstreit. Ich wußte, daß ich in jenen Stunden eine Verwandlung durchmachen mußte, immer wieder ging ich auf die Toilette, um meinen Gesichtsausdruck zu überprüfen. Das Licht in den Augen, das Lächeln mußten verschwinden, verlöschen. Nur die Wangen mußten noch ein wenig Farbe zeigen zur Bestätigung, wie gut die Luft gewesen war. Sowohl mein Vater als auch Augusto fanden mich außerordentlich erholt. »Ich wußte ja, daß Quellen Wunder wirken«, sagte mein Vater immer wieder, während Augusto, etwas für ihn fast Unglaubliches, mich mit kleinen galanten Aufmerksamkeiten überhäufte.

Wenn du zum ersten Mal Liebe fühlen wirst, wirst du verstehen, wie unterschiedlich und komisch ihre Auswirkungen sein können. Solange du nicht verliebt bist, solange dein Herz noch frei ist und dein Blick niemandem gehört, schenkt dir keiner von all den Männern, die dich interessieren könnten, auch nur die geringste Beachtung; dann, in dem Augenblick, in dem du von einem einzigen Menschen eingenommen bist und die anderen dir vollkommen gleichgültig sind, laufen dir alle nach, sagen dir Zärtlichkeiten, machen dir den Hof. Es ist die Wirkung der Fenster, von denen ich vorhin sprach, wenn sie offenstehen, gibt der Körper der Seele viel Licht und ebenso die Seele dem Körper, sie spiegeln und erleuchten sich gegenseitig. In kurzer Zeit bildet sich rund um dich eine Art goldene, warme Aura, und diese Aura zieht die anderen Männer an wie der Honig die Bären. Augusto war dieser Wirkung nicht entgangen, und auch ich fand es nicht schwierig, freundlich zu ihm zu sein, auch wenn dir das seltsam erscheinen mag. Sicher, wenn Augusto nur ein bißchen weniger weltfremd, ein bißchen mißtrauischer gewesen wäre, hätte er nicht lange gebraucht, um zu verstehen, was passiert war. Zum ersten Mal, seit wir verheiratet waren, dankte ich seinen grauenhaften Insekten.

Ob ich an Ernesto dachte? Natürlich, ich tat gewissermaßen nichts anderes. Denken ist allerdings nicht das richtige Wort. Mehr denn an ihn zu denken lebte ich für ihn, er lebte in mir, bei jeder Handbewegung, bei jedem Gedanken waren wir eine einzige Person. Beim Abschied hatten wir ausgemacht, daß ich als erste schreiben würde; denn damit er antworten konnte, mußte ich erst die Adresse einer vertrauenswürdigen Freundin ausmachen, an die ich mir seine Briefe schicken lassen konnte. Den ersten Brief schickte ich ihm am Tag vor Allerheiligen. Die Zeit, die darauf folgte, war die schlimmste unserer ganzen Beziehung. Nicht einmal die größte, die absoluteste Liebe ist in der Ferne gegen Zweifel gefeit. Morgens öffnete ich plötzlich die Augen, wenn es draußen noch dunkel war, und lag stumm und unbeweglich neben Augusto. Es waren die einzigen Augenblicke, in denen ich meine Gefühle nicht verbergen mußte. Ich dachte zurück an die drei Wochen. Und wenn Ernesto, fragte ich mich, nur ein Verführer war, einer, der sich aus Langeweile in dem Thermalbad die Zeit mit den einsamen Frauen vertrieb? Je mehr Tage verstrichen, ohne daß ein Brief eintraf, um so mehr verfestigte sich diese Vermutung zu einer Gewißheit. Nun gut, sagte ich mir dann, auch wenn es so gewesen ist, auch wenn ich mich wie das ahnungsloseste Gänschen verhalten habe, ist es weder eine schlechte noch eine nutzlose Erfahrung gewesen. Wenn ich mich nicht gehenlassen hätte, wäre ich alt geworden und gestorben, ohne je zu wissen, was eine Frau empfinden kann. Irgendwie, verstehst du, versuchte ich, mich zu schützen, um den Schlag abzuschwächen.

Sowohl mein Vater als auch Augusto bemerkten, wie sich meine Laune zunehmend verschlechterte: Wegen nichts und wieder nichts brauste ich auf, kaum trat einer von ihnen ins Zimmer, ging ich hinaus, dauernd hatte ich das Bedürfnis, allein zu sein. Wieder und wieder ging ich im Geist die mit Ernesto verbrachten Wochen durch, prüfte sie zwanghaft Minute für Minute, um einen Hinweis zu finden, ein Indiz, das mich endgültig in die eine oder andere Richtung lenken würde. Wie lange diese Qual dauerte? Eineinhalb Monate, beinahe zwei. In der Woche vor Weihnachten traf endlich bei der Freundin, die mir als Vermittlerin diente, der Brief ein, fünf mit einer großen, luftigen Handschrift beschriebene Seiten.

Plötzlich war ich wieder guter Laune. Zwischen Schreiben und Auf-Antwort-Warten verging der Winter wie im Flug und ebenso der Frühling. Der ständige Gedanke an Ernesto veränderte meine Zeitwahrnehmung, alle meine Energien waren auf eine nicht näher bestimmte Zukunft gerichtet, auf den Augenblick, in dem ich ihn wiedersehen könnte.

Die Innigkeit seines Briefes hatte mich von dem Gefühl, das uns verband, überzeugt. Es war eine große, eine sehr große Liebe, und wie alle wahrhaft großen Lieben war sie auch ziemlich weit entfernt von dem im engeren Sinne menschlichen Geschehen. Es wird dir vielleicht seltsam erscheinen, daß die lange Trennung uns kein großes Leiden verursachte, und zu behaupten, daß wir überhaupt nicht litten, ist auch nicht ganz richtig. Sowohl ich als auch Ernesto litten unter der erzwungenen Ferne, aber es war ein Leiden, in das sich andere Gefühle mischten, die aufregende Erwartung ließ den Schmerz in den Hintergrund treten. Wir waren zwei erwachsene, verheiratete Menschen, wir wußten, daß die Dinge nicht anders gehen konnten. Wenn all das heute geschehen wäre, hätte ich wahrscheinlich nach nicht einmal einem Monat die Scheidung eingereicht, Ernesto hätte sich von seiner Frau getrennt, und wir wären noch vor Weihnachten zusammengezogen. Ob das besser gewesen wäre? Ich weiß es nicht. Im Grunde kann ich die Vorstellung nicht loswerden, daß die Liebe durch die Leichtigkeit der Beziehungen verflacht wird, daß sich die Tiefe der Leidenschaft dadurch in vorübergehende Schwärmerei verwandelt. Weißt du, was passiert, wenn du beim Kuchenbacken Hefe und Mehl nicht richtig vermischst? Anstatt gleichmäßig aufzugehen, hebt sich der Kuchen nur auf einer Seite, er explodiert geradezu, die Kruste platzt auf und der Teig quillt wie Lava über den Rand der Form. So ist die Leidenschaft in ihrer Einzigartigkeit. Sie läßt sich nicht eindämmen.

Einen Geliebten zu haben und ihn auch sehen zu können, war damals nicht leicht. Für Ernesto war es schon etwas einfacher, denn da er Arzt war, konnte er immer einen Kongreß, eine Stellenausschreibung, einen dringenden Fall erfinden, aber für mich, die ich außer meinen häuslichen Aufgaben keinerlei andere Tätigkeit hatte, war es fast unmöglich. Ich mußte mir eine Verpflichtung einfallen lassen, etwas, das mir Abwesenheiten von wenigen Stunden oder auch Tagen gestatten würde, ohne im geringsten Verdacht zu erregen. Daher wurde ich kurz vor Ostern Mitglied bei einer Gesellschaft für Lateinliebhaber.

Sie trafen sich einmal pro Woche und unternahmen häufig Bildungsausflüge. Da Augusto meine Leidenschaft für alte Sprachen kannte, schöpfte er keinerlei Verdacht und hatte auch nichts einzuwenden, im Gegenteil, er freute sich, daß ich meine früheren Interessen wiederaufnahm.

In jenem Jahr wurde es rasend schnell Sommer. Ende Juni fuhr Ernesto wie jedes Jahr zur Kursaison, und ich zusammen mit meinem Vater und Augusto ans Meer. In diesem Monat gelang es mir, Augusto davon zu überzeugen, daß ich nicht aufgehört hatte, mir ein Kind zu wünschen. Am frühen Morgen des 31. August begleitete er mich zum Zug nach Porretta, mit demselben Koffer und demselben Kleid des Vorjahres. Während der Reise konnte ich vor Aufregung keinen Augenblick still sitzen, durchs Fenster sah ich dieselbe Landschaft, die ich im Jahr davor gesehen hatte, und doch kam mir alles ganz anders vor.

Ich blieb drei Wochen zur Kur, und in diesen drei Wochen lebte ich mehr und tiefer als mein ganzes restliches Leben. Eines Tages, während Ernesto bei der Arbeit war, ging ich im Park spazieren und dachte, daß das Schönste in diesem Augenblick wäre zu sterben. Es mag seltsam erscheinen, aber größtes Glück, genau wie größtes Unglück, bringt immer diesen widersprüchlichen Wunsch mit sich. Mir war, als sei ich schon so lange unterwegs, als sei ich Jahr um Jahr auf ungepflasterten Straßen durchs Unterholz marschiert: Um voranzukommen, hatte ich mir mit der Axt einen Durchlaß freigehauen, dann war ich weitergegangen, und von dem, was mich umgab – außer dem, was direkt vor meinen Füßen war –, hatte ich nichts gesehen; ich wußte nicht, wohin ich ging, vor mir konnte ein Abgrund sein, eine Schlucht, eine Großstadt oder die Wüste; dann hatte sich das Unterholz plötzlich gelichtet, ohne es zu merken, war ich aufwärts gestiegen. Unvermutet fand ich mich auf dem Gipfel eines Berges wieder, gerade war die Sonne aufgegangen, und vor mir erstreckten sich im Dunst weitere Berge bis hin zum Horizont; alles war in ein blaues Licht getaucht, ein leichter Wind strich um den Gipfel, den Gipfel und meinen Kopf, meinen Kopf und die Gedanken darin. Ab und zu drang von unten ein Geräusch herauf, das Bellen eines Hundes, das Läuten von Kirchenglocken. Alles war seltsam leicht und eindringlich zugleich. In mir und außerhalb von mir war alles hell geworden, nichts schob sich mehr übereinander, nichts warf Schatten, ich hatte keine Lust mehr hinunterzusteigen, wieder ins Unterholz zurückzukehren. Ich wollte in jene Bläue eintauchen und für immer darinnen bleiben, das Leben im höchsten Augenblick verlassen. Ich trug den Gedanken bis zum Abend mit mir herum, bis ich Ernesto wiedersah. Während des Abendessens hatte ich allerdings nicht den Mut, ihn ihm zu sagen, ich fürchtete, er würde anfangen zu lachen. Erst spät am Abend, als er zu mir ins Zimmer kam und mich umarmte, legte ich meinen Mund an sein Ohr, um zu sprechen. »Ich will sterben«, wollte ich zu ihm sagen. Und weißt du, was ich statt dessen sagte: »Ich will ein Kind.«

Als ich aus Porretta abfuhr, wußte ich, daß ich schwanger war. Ich glaube, Ernesto wußte es auch, denn in den letzten Tagen war er sehr verstört, verwirrt, und schwieg oft. Ich war nicht verstört. Mein Körper hatte schon am Morgen nach der Empfängnis begonnen, sich zu verändern, der Busen war plötzlich größer, fester, die Haut des Gesichts strahlender. Es ist wirklich unglaublich, wie wenig Zeit der Körper braucht, um sich dem neuen Zustand anzupassen. Deshalb kann ich dir sagen, daß ich, obgleich ich mich noch nicht hatte untersuchen lassen und der Bauch noch flach war, genau wußte, was passiert war. Plötzlich fühlte ich mich von einer großen Helligkeit durchströmt, mein Körper veränderte sich, begann, sich auszudehnen, mächtig zu werden. Nie vorher hatte ich ähnliches empfunden.

Bedenken kamen mir erst, als ich allein im Zug saß. Solange ich Ernesto nahe gewesen war, hatte ich keinerlei Zweifel daran gehabt, daß ich das Kind behalten würde: Augusto, mein Leben in Triest, das Gerede der Leute, alles war weit, weit weg. Nun aber näherte sich diese ganze Welt wieder, die Schnelligkeit, mit der die Schwangerschaft fortschreiten würde, zwang mich, möglichst rasche Entscheidungen zu treffen und sie – waren sie einmal getroffen – für immer durchzuhalten. Ich verstand sofort, daß es paradoxerweise viel schwieriger sein würde abzutreiben, als das Kind zu behalten. Eine Abtreibung wäre Augusto nicht entgangen. Wie hätte ich sie vor seinen Augen rechtfertigen können, nachdem ich so viele Jahre lang immer wieder geäußert hatte, ich wünschte mir ein Kind? Und außerdem wollte ich nicht abtreiben, das Wesen, das in mir wuchs, war kein Fehler gewesen, etwas, das man so schnell wie möglich beseitigen mußte. Es war die Erfüllung eines Schicksals, vielleicht der größte und heftigste Wunsch meines ganzen Lebens.

Wenn man einen Mann liebt – wenn man ihn mit Leib

und Seele liebt –, ist es das Natürlichste von der Welt, sich ein Kind zu wünschen. Es handelt sich nicht um einen intelligenten Wunsch, um einen auf vernunftbestimmte Überlegungen gegründeten Entschluß. Bevor ich Ernesto kannte, dachte ich, ich wollte ein Kind, und wußte genau, warum ich es wollte, was dafür und was dagegen sprach. Kurz und gut, es war eine vernunftbestimmte Entscheidung, ich wollte ein Kind, weil ich ein gewisses Alter erreicht hatte und viel allein war, weil ich eine Frau war, und wenn die Frauen sonst nichts tun, können sie wenigstens Kinder kriegen. Verstehst du? Beim Kauf eines Autos hätte ich genau die gleichen Überlegungen angestellt.

Als ich aber in jener Nacht zu Ernesto gesagt habe: »Ich will ein Kind«, war das etwas ganz anderes, der gesamte gesunde Menschenverstand sprach gegen diese Entscheidung, und doch war diese Entscheidung stärker als aller gesunde Menschenverstand. Und eigentlich war es gar keine Entscheidung, es war eine Raserei, eine Gier nach dauerhaftem Besitz. Ich wollte Ernesto in mir, bei mir, neben mir, für immer. Wenn du jetzt liest, wie ich mich verhalten habe, wird es dich vor Grauen schütteln, du wirst dich fragen, wieso du nie zuvor gemerkt hast, daß ich so niederträchtige, verächtliche Charakterzüge in mir verberge. Als ich am Bahnhof von Triest ankam, habe ich das einzige getan, was mir übrigblieb, ich bin aus dem Zug gestiegen und habe mich wie eine zärtliche, sehnsüchtige, verliebte Ehefrau benommen. Augusto war von meiner Veränderung sofort beeindruckt, anstatt sich Fragen zu stellen, fühlte er sich angezogen.

Nach einem Monat war es vollkommen glaubhaft, daß

das Kind von ihm war. An dem Tag, an dem ich ihm das Ergebnis der Untersuchungen mitteilte, verließ er am hell-lichten Vormittag das Büro, und wir verbrachten den ganzen Tag damit, für die Ankunft des Kindes Verände-rungen im Haus zu planen. Als ich mich zu meinem Vater beugte und ihm die Nachricht zuschrie, nahm er meine Hände zwischen die seinen und hielt sie eine Weile re-gungslos fest, während seine Augen feucht wurden und sich röteten. Schon seit einiger Zeit hatte die Schwerhörig-keit ihn aus einem großen Teil des Lebens ausgeschlossen, Gespräche mit ihm gingen stockend vonstatten, zwischen einem Satz und dem nächsten entstand plötzlich eine Leere oder es tauchten unzusammenhängende Erinne-rungsbilder auf, die nichts mit dem Thema zu tun hatten. Ich weiß nicht, warum, aber angesichts seiner Tränen emp-fand ich anstatt Rührung eher einen leichten Unmut. Ich sah darin nur Rhetorik, sonst nichts. Die Enkelin hat er dann nicht mehr gesehen. Er starb im Schlaf, ohne zu lei-den, als ich im sechsten Monat schwanger war. Als ich ihn hergerichtet im Sarg liegen sah, beeindruckte es mich, wie schmal und hinfällig er geworden war. Auf seinem Gesicht lag der gleiche Ausdruck wie immer, fern und unbeteiligt.

Natürlich schrieb ich auch an Ernesto, nachdem ich die Ergebnisse erfahren hatte; seine Antwort kam in weniger als zehn Tagen. Ich wartete einige Stunden, bis ich den Brief öffnete, ich war sehr aufgeregt und fürchtete, er könne etwas Unangenehmes enthalten. Erst am späten Nachmittag entschloß ich mich, ihn zu lesen, und um es ungestört tun zu können, schloß ich mich in der Toilette eines Cafés ein. Seine Worte waren gelassen und vernünftig. »Ich weiß nicht, ob es das beste ist«, schrieb er, »aber wenn du so entschieden hast, respektiere ich deine Entscheidung.«

Von dem Tag an, da nun alle Hürden genommen waren, erwartete ich gelassen mein Kind. Ob ich mir wie ein Ungeheuer vorkam? Ob ich eins war? Ich weiß nicht. Im Lauf der Schwangerschaft und noch viele Jahre später habe ich nie einen Zweifel oder Gewissensbisse gehabt. Wie ich so tun konnte, als liebte ich einen Mann, während ich das Kind eines anderen, den ich wirklich liebte, im Bauch trug? Nun, siehst du, in der Wirklichkeit sind die Dinge nie so einfach, sie sind nie ganz schwarz oder ganz weiß, jede Farbe birgt viele Schattierungen in sich. Es kostete mich keinerlei Mühe, liebevoll und freundlich zu Augusto zu sein, weil ich ihn wirklich mochte. Anders als Ernesto, nicht so, wie eine Frau einen Mann liebt, sondern so, wie eine Schwester einen älteren, etwas langweiligen Bruder liebt. Wenn er böse gewesen wäre, hätte alles ganz anders ausgesehen, und ich hätte es mir nie träumen lassen, mit ihm zu leben und ein Kind zu bekommen, aber er war nur tödlich methodisch und vorhersehbar; davon abgesehen war er im Innersten freundlich und gütig. Er war glücklich über dieses Kind, und ich war glücklich, es ihm zu schenken. Aus welchem Grund hätte ich ihm das Geheimnis enthüllen sollen? Damit hätte ich drei Leben auf Dauer ins Unglück gestürzt. Jedenfalls dachte ich damals so. Jetzt, da es Bewegungsfreiheit, Entscheidungsfreiheit gibt, mag das, was ich getan habe, wirklich schrecklich erscheinen, aber damals – als ich mich in dieser Situation befand – war es etwas eher Gewöhnliches, ich will nicht behaupten, daß es bei jedem Paar der Fall war, aber gewiß kam es recht häufig vor, daß eine Frau im Rahmen einer Ehe ein Kind von einem anderen Mann empfing. Was dann passierte? Genau das, was mir auch passiert ist: nichts. Das Kind wurde geboren, wuchs zusammen mit den Geschwistern auf, wurde erwachsen, ohne daß es je den geringsten Verdacht schöpfte. Die Familie hatte damals unerschütterliche Grundfesten, um sie zu zerstören, brauchte man viel mehr als nur ein fremdes Kind. So ging es auch mit deiner Mutter. Sie kam zur Welt und wurde sofort meine und Augustos Tochter. Das wichtigste für mich war, daß Ilaria ein Kind der Liebe und nicht des Zufalls, der Konventionen oder der Langeweile war; ich dachte, das würde alle anderen Probleme beseitigen. Wie sehr ich mich irrte!

In den ersten Jahren jedoch verlief alles ganz natürlich und ohne Erschütterungen. Ich lebte nur für sie, ich war eine sehr zärtliche und aufmerksame Mutter – oder glaubte jedenfalls, es zu sein. Schon vom ersten Sommer an hatte ich es mir zur Gewohnheit gemacht, die heißen Monate zusammen mit dem Kind an der adriatischen Riviera zu verbringen. Wir mieteten ein Haus, und Augusto kam alle zwei bis drei Wochen über das Wochenende zu uns.

Dort am Strand sah Ernesto seine Tochter zum ersten Mal. Natürlich tat er so, als sei er ein Fremder, beim Spazierengehen ging er »zufällig« neben uns, mietete einen Sonnenschirm in wenigen Schritten Entfernung und beobachtete uns von dort – wenn Augusto nicht da war – stundenlang hinter einem Buch oder einer Zeitung hervor.

Am Abend schrieb er mir dann lange Briefe, in denen er alles erzählte, was ihm durch den Kopf gegangen war, seine Gefühle für uns, was er gesehen hatte. Unterdessen hatte auch seine Frau noch ein Kind bekommen, er hatte die Saisonarbeit in dem Kurort aufgegeben und in der Stadt, wo er wohnte, Ferrara, eine Privatpraxis eröffnet. In Ilarias ersten drei Lebensjahren haben wir uns, abgesehen von den angeblich »zufälligen« Begegnungen, nie gesehen. Ich war sehr von der Kleinen in Anspruch genommen, erwachte jeden Morgen voller Freude mit dem Wissen, daß es sie gab, und auch wenn ich gewollt hätte, hätte ich mich nichts anderem widmen können.

Kurz bevor wir nach dem letzten Aufenthalt in der Kurstadt auseinandergingen, hatten Ernesto und ich einen Pakt geschlossen. »Jeden Abend«, hatte Ernesto gesagt, »werde ich Punkt elf, wo immer ich auch bin und was immer ich gerade tue, ins Freie treten und Sirius am Himmel suchen. Du wirst es genauso machen, und so werden sich unsere Gedanken, auch wenn wir weit voneinander entfernt sind, auch wenn wir uns lange nicht gesehen haben und nichts voneinander wissen, dort oben treffen und beieinander sein.« Dann waren wir auf den Balkon des Pensionszimmers gegangen, und den Finger zu den Sternen hebend, neben Orion und Betelgeuse, hatte er mir Sirius gezeigt.

Diese Nacht wurde ich plötzlich von einem Geräusch geweckt, ich habe eine Weile gebraucht, bis ich begriff, daß es das Telefon war. Als ich aufgestanden bin, hatte es schon lange geläutet, und als ich endlich davor stand, schwieg es. Ich habe dennoch den Hörer abgenommen und mit schlaftrunkener Stimme zwei- oder dreimal »hallo« gesagt. Anstatt ins Bett zurückzugehen, habe ich mich in den Sessel daneben gesetzt. Warst du es? Wer sonst hätte es sein können? Jener Klang in der nächtlichen Stille des Hauses hatte mich erschreckt. Mir fiel eine Geschichte ein, die eine Freundin mir vor ein paar Jahren erzählt hat. Ihr Mann lag schon lange im Krankenhaus. Wegen der starren Besuchszeiten konnte sie an dem Tag, an dem er starb, nicht bei ihm sein. Überwältigt von dem Schmerz, ihn auf diese Weise verloren zu haben, konnte sie in der ersten Nacht keinen Schlaf finden. Sie lag wach im Dunkeln, als plötzlich das Telefon klingelte. Sie war überrascht, konnte es wirklich sein, daß jemand sie um diese Zeit anrief, um sein Beileid kundzutun? Während sie die Hand nach dem Hörer ausstreckte, fiel ihr eine seltsame Sache auf: Ein zitternder Lichtschein ging von dem Apparat aus. Kaum hatte sie abgehoben, verwandelte sich die Überraschung in Entsetzen. Auf der anderen Seite der Leitung hörte sie eine sehr ferne Stimme, die nur mit Mühe sprechen konnte: »Marta«, sagte sie zwischen Pfeifen und Knacken, »ich wollte mich von dir verabschieden, bevor ich gehe…«

Es war die Stimme ihres Mannes. Nach diesem Satz war einen Augenblick lang ein Geräusch von starkem Wind zu hören gewesen, dann wurde die Verbindung unterbrochen und Schweigen kehrte ein.

Damals hatte ich meine Freundin bedauert wegen des Zustands tiefer Verstörtheit, in dem sie sich befand: Die Vorstellung, daß die Toten die modernsten Mittel wählten, um sich mitzuteilen, erschien mir eher verstiegen. Dennoch muß diese Geschichte in meiner Gefühlswelt Spuren hinterlassen haben. Tief innen, ganz tief unten, im ursprünglichsten und magischsten Teil meines Selbst hoffe vielleicht auch ich, daß mich früher oder später mitten in der Nacht jemand anruft, um mich aus dem Jenseits zu grüßen. Ich habe meine Tochter begraben, meinen Ehemann und den Mann, den ich mehr als alle anderen auf der Welt liebte. Sie sind gestorben, sie sind nicht mehr da, dennoch verhalte ich mich weiterhin, als hätte ich einen Schiffbruch überlebt. Die Strömung hat mich gerettet und auf eine Insel gespült, von meinen Gefährten weiß ich nichts mehr, ich habe sie im gleichen Moment aus den Augen verloren, in dem das Boot kenterte, sie könnten ertrunken sein – es ist sogar fast sicher –, aber sie könnten auch noch leben. Obgleich Monate und Jahre vergangen sind, spähe ich weiter hinüber zu den Nachbarinseln und warte immer noch auf ein Rauchzeichen, auf irgend etwas, das meine Vermutung bestätigt, daß sie alle noch mit mir unter demselben Himmel weilen.

In der Nacht, in der Ernesto starb, wurde ich plötzlich von einem heftigen Geräusch geweckt. Augusto knipste das Licht an und rief: »Wer ist da?« Im Zimmer war niemand, nichts war in Unordnung. Erst am Morgen, als ich die Schranktür öffnete, bemerkte ich, daß im Innern alle Bretter zusammengekracht, Strümpfe, Schals und Unterhosen aufeinandergefallen waren.

Jetzt kann ich sagen: die Nacht, in der Ernesto starb. Damals jedoch wußte ich es nicht, ich hatte soeben einen Brief von ihm erhalten und konnte mir nicht im entferntesten vorstellen, was geschehen war. Ich dachte einzig und allein, durch die Feuchtigkeit seien die Leisten angefault, die die Bretter stützten, und sie seien unter dem zu großen Gewicht heruntergebrochen. Ilaria war vier Jahre alt, seit kurzem ging sie in den Kindergarten, und mein Leben mit ihr und Augusto verlief in ruhigem Alltagstrott. An jenem Nachmittag setzte ich mich nach der Latinistenversammlung in ein Café, um Ernesto zu schreiben. Zwei Monate später sollte eine Tagung in Mantua stattfinden, das war die Gelegenheit, auf die wir schon so lange warteten, um uns wiederzusehen. Bevor ich nach Hause ging, warf ich den Brief ein, und von der folgenden Woche an begann ich, auf die Antwort zu warten. Ich bekam keinen Brief, weder in der nächsten Woche noch in der über- oder überübernächsten. Noch nie hatte ich so lange warten müssen. Zuerst dachte ich an ein Versehen bei der Post, dann, daß er vielleicht krank sei und nicht in die Praxis gehen könne, um die Post abzuholen. Nach einem Monat schrieb ich ihm ein kurzes Kärtchen, und auch das blieb unbeantwortet. Mit dem Verstreichen der Tage begann ich mich zu fühlen wie ein Haus, in dessen Fundamente ein Wasserlauf eingesickert ist. Anfangs war es ein zurückhaltendes, dünnes Rinnsal, das kaum die Zementpfeiler beleckte, doch dann war es im Lauf der Zeit angeschwollen, war größer und reißender geworden, unter seiner Kraft war der Zement zu Sand geworden, auch wenn das Haus noch stand, auch wenn scheinbar alles normal war, ich wußte, daß es nicht stimmte, daß der geringste Stoß genügt hätte, um die Fassade und alles übrige zum Einsturz zu bringen.

Als ich zu der Tagung fuhr, war ich nur noch ein Schatten meiner selbst. Nachdem ich mich in Mantua gezeigt hatte, fuhr ich sofort nach Ferrara, um herauszufinden, was passiert war. In der Praxis nahm niemand ab, die Fensterläden waren immer geschlossen, wenn man von der Straße hinaufsah. Am zweiten Tag ging ich in eine Bibliothek und bat, die Zeitungen der letzten Monate durchsehen zu dürfen. Ich fand einen kurzen Artikel, darin stand alles geschrieben. Nachts, auf dem Heimweg von einem Krankenbesuch, hatte er die Kontrolle über das Auto verloren und war gegen eine große Platane gerast; der Tod war fast sofort eingetreten. Tag und Uhrzeit entsprachen genau dem Zusammenbruch meines Schranks.

Einmal habe ich in einer dieser alten Zeitschriften, die mir Frau Razman ab und zu bringt, auf der Horoskopseite gelesen, daß bei gewaltsamen Toden Mars im achten Haus steht. Dem Artikel zufolge sind Menschen, die mit dieser Sternenkonfiguration geboren werden, dazu bestimmt, nicht friedlich im eigenen Bett zu sterben. Wer weiß, ob an Ernestos und Ilarias Himmel diese verhängnisvolle Kombination funkelte. Im Abstand von mehr als zwanzig Jahren sind Vater und Tochter auf genau die gleiche Weise gestorben, indem sie mit dem Auto gegen einen Baum rasten.

Nach Ernestos Tod erlitt ich einen schweren Zusammenbruch. Plötzlich war mir klargeworden, daß das Licht, in dem ich in den letzten Jahren erstrahlt war, nicht aus meinem Inneren kam, sondern nur ein Widerschein war. Das Glück, die Liebe zum Leben, die ich empfunden hatte, gehörten mir in Wirklichkeit gar nicht, ich hatte sie nur wie ein Spiegel aufgefangen. Ernesto sandte Licht aus, und ich reflektierte es. Nachdem er verschwunden war, war alles wieder stumpf geworden. Ilarias Anblick bereitete mir keine Freude mehr, sondern Unmut, ich war so verunsichert, daß ich zuletzt sogar daran zweifelte, ob sie wirklich Ernestos Tochter sei. Diese Veränderung entging ihr nicht, mit ihren Antennen eines empfindsamen Kindes bemerkte sie meine Abneigung, wurde bockig und trotzig. Nun war sie die junge, lebensvolle Pflanze und ich der alte Baum, der bald erstickt werden würde. Sie roch meine Schuldgefühle wie ein Spürhund, sie nutzte sie, um höher hinauf zu kommen. Das Haus hatte sich in eine kleine Hölle voller Zankereien und Geschrei verwandelt.

Um mir das Leben zu erleichtern, stellte Augusto eine Frau ein, die sich um die Kleine kümmern sollte. Eine Weile hatte er probiert, sie für Insekten zu begeistern, aber nach drei oder vier Versuchen – bei denen sie immer nur »Igitt« schrie – gab er es auf. Plötzlich sah man ihm seine Jahre an, mehr denn wie der Vater seiner Tochter wirkte er wie der Großvater, er war freundlich zu ihr, hielt aber Abstand. Wenn ich am Spiegel vorbeiging, fand ich mich auch sehr gealtert, meine Gesichtszüge verrieten eine Härte, die sie vorher nie gehabt hatten. Mich zu vernachlässigen war eine Möglichkeit, die Verachtung auszudrücken, die ich für mich selbst empfand. Da Ilaria nun zur Schule ging und sonst von der Haushälterin betreut wurde, hatte ich sehr viel freie Zeit. Die Unruhe drängte mich dazu, sie meistens in Bewegung zu verbringen, ich nahm das Auto und fuhr wie in Trance kreuz und quer durch den Karst.

Ich las einige religiöse Texte wieder, mit denen ich mich während meines Aufenthalts in Aquila beschäftigt hatte. Voller Ungestüm suchte ich in diesen Seiten eine Antwort. Im Gehen sagte ich mir den Satz des heiligen Augustinus zum Tod der Mutter vor: »Laßt uns nicht traurig sein, daß wir sie verloren haben, sondern laßt uns danken, daß wir sie gehabt haben.«

Eine Freundin hatte mich zwei- oder dreimal zu ihrem Beichtvater geschickt, und nach diesen Begegnungen war ich noch untröstlicher als zuvor. Seine Worte waren süßlich, eine Hymne auf die Kraft des Glaubens, so als wäre der Glaube ein Nahrungsmittel, das man an jeder Straßenecke kaufen könne. Es gelang mir nicht, den Verlust Ernestos zu verwinden, die Entdeckung, kein eigenes Licht zu besitzen, machte die Versuche, eine Antwort zu finden, noch schwieriger. Weißt du, als ich ihm begegnete, als unsere Liebe geboren wurde, war ich plötzlich überzeugt, mein ganzes Leben sei im Lot, ich war glücklich, daß es mich gab, glücklich über alles, das es mit mir zusammen gab, ich fühlte mich am höchsten, am stabilsten Punkt meines Weges angekommen, ich war sicher, daß nichts und niemand mich von dort wieder wegbewegen könnte. Ich wiegte mich in der ein wenig überheblichen Sicherheit der Menschen, die alles begriffen haben. Viele Jahre lang war ich überzeugt gewesen, auf eigenen Füßen vorangegangen zu sein, dabei hatte ich nicht einen Schritt allein gemacht. Obwohl ich es nie gemerkt hatte, war unter mir ein Pferd, das hatte den Weg zurückgelegt, nicht ich. In dem Augenblick, in dem das Pferd verschwand, merkte ich, wie schwach meine Füße waren; ich wollte gehen, und die Knöchel gaben nach, die Schritte, die ich machte, waren unsicher wie die Schritte eines sehr kleinen Kindes oder eines Alten. Einen kurzen Moment lang dachte ich, ich könnte mich an irgendeinen Stock klammern: an die Religion etwa, oder an die Arbeit. Aber diese Vorstellung hielt nicht lange vor. Sehr schnell wurde mir klar, daß es nur wieder ein Fehler sein würde. Mit vierzig ist für Fehler kein Platz mehr. Wenn man plötzlich nackt dasteht, muß man den Mut haben, sich im Spiegel anzusehen, so wie man ist. Ich mußte alles von vorn beginnen. Ja, aber wo sollte ich anfangen? Bei mir selbst. Das war leicht gesagt, aber schwer getan. Wo war ich? Wer war ich? Wann war ich zum letzten Mal ich selbst gewesen?

Wie schon gesagt, irrte ich ganze Nachmittage lang auf der Hochebene umher. Manchmal, wenn ich ahnte, daß die Einsamkeit meine Stimmung noch verschlechtern würde, fuhr ich in die Stadt hinunter und ging, unter die Menge gemischt, die bekanntesten Straßen auf und ab auf der Suche nach etwas Erleichterung. Es war inzwischen, als hätte ich eine Arbeit, ich ging, wenn Augusto ging, und kam zurück, wenn er nach Hause kam. Der Arzt, der mich behandelte, hatte ihm gesagt, bei manchen Nervenzusammenbrüchen sei es normal, den Wunsch nach viel Bewegung zu verspüren. Da keine Selbstmordgedanken in mir vorhanden seien, bestehe keine Gefahr, wenn ich in der Gegend herumliefe; zum Schluß würde ich mich, meinte er, durch das viele Laufen beruhigen. Augusto fand die Erklärungen des Arztes einsichtig, ich weiß nicht, ob er wirklich daran glaubte oder nur feige war und sein ruhiges Leben nicht aufs Spiel setzen wollte, jedenfalls war ich ihm dankbar, daß er sich zurückzog, mir in meiner großen Unrast nicht im Weg stand.

In einer Sache hatte der Arzt allerdings recht, in meinem schwer depressiven Zusammenbruch hegte ich keine Selbstmordgedanken. Es ist seltsam, aber genau so war es, keine Sekunde habe ich nach Ernestos Tod daran gedacht, mich umzubringen, und glaub nur nicht, daß es Ilaria war, die mich zurückhielt. Wie ich schon sagte, war sie mir in jenem Augenblick vollkommen gleichgültig. Ich ahnte vielmehr, irgendwo in mir, daß dieser so plötzliche Verlust in einem größeren Zusammenhang stand – anders durfte es, konnte es nicht sein. Es mußte ein Sinn darin liegen, diesen Sinn sah ich undeutlich vor mir wie eine riesige Stufe. War sie da, damit ich sie überwinde? Wahrscheinlich, aber ich konnte mir nicht vorstellen, was dahinter war, was ich sehen würde, wenn ich sie erklommen hätte.

Eines Tages kam ich mit dem Auto in einen Ort, in dem ich noch nie gewesen war. Dort stand ein Kirchlein mit einem kleinen Friedhof rundherum, zu beiden Seiten bewaldete Hügel, und auf einer der Hügelkuppen ragte hell eine Burg heraus. Nicht weit von der Kirche lagen zwei oder drei Gehöfte, freilaufende Hühner scharrten auf der Straße, ein schwarzer Hund bellte. Auf dem Ortsschild stand Samatorza. Samatorza, das klang nach Einsamkeit, der richtige Platz, um seine Gedanken zu sammeln. Ich entdeckte einen steinigen Weg und begann zu laufen, ohne mich zu fragen, wohin er wohl führte. Die Sonne ging bereits unter, aber je weiter ich ging, um so weniger hatte ich Lust umzukehren. Ab und zu ließ mich ein Eichelhäher auffahren. Da war etwas, das mich rief, doch was es war, verstand ich erst, als ich auf eine offene Lichtung gelangte, als ich dort in der Mitte, gelassen und majestätisch, mit Zweigen, ausgestreckt wie Arme, bereit, mich zu empfangen, eine riesige Eiche stehen sah.

Wenn man es erzählt, klingt es komisch, aber kaum sah ich sie, begann mein Herz anders zu schlagen, ja ich möchte fast sagen, zu schwirren, wie ein Tierchen, das sich freut, so schlug es sonst nur, wenn ich Ernesto sah. Ich habe mich darunter gesetzt, sie gestreichelt, den Rücken und den Hinterkopf an ihren Stamm gelehnt.

Gnothi seauton hatte ich als Mädchen auf das Deckblatt meines Griechischheftes geschrieben. Zu Füßen der Eiche kam mir dieser im Gedächtnis begrabene Satz plötzlich wieder in den Sinn. Erkenne dich selbst. Luft, Atem.

Heute nacht hat es geschneit, als ich aufwachte, war der ganze Garten weiß. Buck rannte wie verrückt auf der Wiese herum, sprang durch die Gegend, bellte, nahm einen Ast ins Maul und warf ihn in die Luft. Später ist Frau Razman zu Besuch gekommen, wir haben zusammen Kaffee getrunken, und sie hat mich eingeladen, den Weihnachtsabend bei ihnen zu verbringen. »Was machen Sie die ganze Zeit?« hat sie mich gefragt, bevor sie ging. Ich habe die Achseln gezuckt. »Nichts«, habe ich geantwortet, »manchmal sehe ich fern, manchmal denke ich nach.«

Nach dir fragt sie nie, diskret umgeht sie das Thema, aber an dem Tonfall ihrer Stimme erkenne ich, daß sie dich für undankbar hält. »Die jungen Leute«, sagt sie oft mitten im Gespräch, »haben kein Herz, sie haben nicht mehr den Respekt, den sie früher hatten.« Damit sie nicht weiterredet, nicke ich, innerlich bin ich jedoch überzeugt, daß das Herz das gleiche ist wie immer, es gibt nur weniger Scheinheiligkeit, das ist alles. Junge Menschen sind nicht von Natur aus egoistisch, so wie alte Menschen nicht von Natur aus weise sind. Verständnis und Oberflächlichkeit hängen nicht mit dem Alter zusammen, sondern mit dem Weg, den jeder einzelne geht. Irgendwo habe ich kürzlich einen Indianerspruch gelesen, der hieß: »Bevor du über einen Menschen urteilst, gehe drei Monde lang in seinen Mokassins.« Er hat mir so gut gefallen, daß ich ihn auf den

Notizblock am Telefon geschrieben habe, um ihn nicht zu vergessen. Von außen gesehen, wirken viele Leben falsch, irrational, verrückt. Solange man außerhalb steht, ist es leicht, die Menschen, ihre Beziehungen mißzuverstehen. Nur von innen heraus, nur wenn man drei Monde lang in ihre Mokassins schlüpft, kann man die Gründe, die Empfindungen, all das, was eine Person eher auf die eine als auf die andere Weise handeln läßt, verstehen. Verständnis erwächst aus Demut, nicht aus dem Stolz zu wissen.

Wer weiß, ob du meine Pantoffeln anziehen wirst, nachdem du diese Geschichte gelesen hast? Ich hoffe es, ich hoffe, daß du lange von einem Zimmer ins andere schlurfen wirst, daß du mehrmals den Rundgang durch den Garten machen wirst, vom Nußbaum zum Kirschbaum, vom Kirschbaum zur Rose, von der Rose zu den häßlichen schwarzen Pinien hinten am Rand der Wiese. Ich hoffe es, nicht weil ich um dein Mitleid betteln oder nach dem Tod von dir freigesprochen werden möchte, sondern weil es für dich, für deine Zukunft notwendig ist. Zu verstehen, wo man herkommt, was hinter uns liegt, ist der erste Schritt, um ohne Lügen vorwärts gehen zu können.

Diesen Brief hätte ich an deine Mutter schreiben müssen, statt dessen habe ich ihn nun an dich gerichtet. Wenn ich ihn überhaupt nicht geschrieben hätte, wäre meine Existenz wirklich ein Scheitern gewesen. Fehler zu machen ist natürlich, fortzugehen, ohne sie begriffen zu haben, macht den Sinn eines Lebens zunichte. Die Dinge, die uns geschehen, geschehen nie umsonst, nur um ihrer selbst willen, jede Begegnung, jedes kleine Ereignis birgt eine Bedeutung in sich, das Verständnis für sich selbst entsteht aus der Bereitschaft, diese anzuerkennen, aus der Fähigkeit, in jedem beliebigen Moment die Richtung zu ändern, aus der alten Haut zu schlüpfen wie eine Eidechse beim Wechsel der Jahreszeit.

Wenn mir an jenem Tag mit fast vierzig Jahren nicht der Satz aus meinem Griechischheft eingefallen wäre, wenn ich dort nicht einen Punkt gemacht hätte, bevor ich weiterging, hätte ich nur die gleichen Fehler wiederholt, die ich bis dahin gemacht hatte. Um die Erinnerung an Ernesto zu vertreiben, hätte ich einen neuen Liebhaber finden können, und dann noch einen und noch einen; auf der Suche nach seinem Doppelgänger, in dem Bestreben, zu wiederholen, was ich schon gelebt hatte, hätte ich Dutzende ausprobiert. Keiner wäre dem Original gleich gewesen, und immer unzufriedener hätte ich so weiter gemacht, hätte mich, vielleicht schon alt und lächerlich, mit jungen Männern umgeben. Oder ich hätte Augusto hassen können, im Grunde war es mir ja auch wegen seiner Anwesenheit unmöglich gewesen, drastischere Entscheidungen zu treffen. Verstehst du? Ausflüchte zu finden, wenn man nicht in sich hineinsehen will, ist das einfachste auf der Welt. Eine äußere Schuld gibt es immer, man braucht sehr viel Mut, um zu akzeptieren, daß die Schuld – oder besser, die Verantwortung – nur bei uns selbst liegt. Und doch ist dies, wie ich dir schon sagte, die einzige Möglichkeit, um vorwärts zu gehen. Wenn das Leben ein Weg ist, so ist es ein Weg, der immer bergauf führt.

Mit vierzig habe ich begriffen, wovon ich ausgehen mußte. Zu verstehen, wo ich ankommen sollte, war ein langer Prozeß, voller Hindernisse, aber mitreißend. Weißt du, heute höre ich ja oft im Fernsehen oder lese in der Zeitung, daß überall wie Pilze diese Gurus aus dem Boden schießen, und eine Menge Leute beugen sich von heute auf morgen ihren Geboten. Mir macht es angst, daß diese Meister so überhandnehmen, samt den Wegen, die sie empfehlen, um inneren Frieden, universelle Harmonie zu finden. Sie sind Ausdruck einer großen, allgemeinen Verunsicherung. Im Grunde – und das ist gar nicht so bedeutungslos – leben wir am Ende eines Jahrtausends; auch wenn Daten willkürlich festgelegt sind, fürchtet man sich trotzdem, alle warten darauf, daß etwas Entsetzliches passiert, wollen vorbereitet sein. Deshalb gehen sie zu den Gurus, schreiben sich in Schulen ein, um sich selbst zu finden, und wenn sie die einen Monat lang besucht haben, sind sie schon ganz durchtränkt von der Überheblichkeit, an der man die Propheten, die falschen Propheten erkennt. Was für eine große, soundsovielte, schreckliche Lüge!

Der einzige Meister, den es gibt, der einzige wirkliche und glaubwürdige Meister ist das eigene Bewußtsein. Um ihn zu finden, muß man schweigen – allein schweigen –, man muß nackt und ohne irgend etwas um sich herum auf der nackten Erde verharren, als wäre man schon tot. Zu Anfang hörst du nichts, das einzige, was du empfindest, ist Schrecken, doch dann beginnst du, weit, weit weg eine Stimme zu vernehmen, es ist eine ruhige Stimme und zuerst irritiert sie dich vielleicht in ihrer Belanglosigkeit. Es ist seltsam, wenn du erwartest, die größten Dinge zu hören, zeigen sich dir die kleinen. Sie sind so klein und so selbstverständlich, daß du fast schreien möchtest: »Wie, ist das alles?« Wenn das Leben einen Sinn hat – wird die

Stimme zu dir sagen –, so ist dieser Sinn der Tod. Alle anderen Dinge kreisen nur darum. Welch schöne Entdeckung, wirst du an diesem Punkt bemerken, welch schöne makabre Entdeckung, daß man sterben muß, weiß auch der letzte Mensch. Das ist wahr, im Kopf wissen wir es alle, doch es im Kopf zu wissen, ist eins, es mit dem Herzen zu wissen, ist etwas anderes, etwas völlig anderes. Wenn deine Mutter mit ihrer Überheblichkeit über mich herfiel, sagte ich zu ihr: »Du tust meinem Herzen weh.«

Sie lachte. »Mach dich nicht lächerlich«, sagte sie, »das Herz ist ein Muskel, wenn du nicht zu schnell läufst, kann es nicht weh tun.«

Wie oft habe ich versucht, mit ihr zu reden, als sie groß genug war, um zu verstehen, ihr zu erklären, was mich dazu gebracht hatte, mich von ihr zu entfernen. »Es stimmt«, sagte ich zu ihr, »an einem bestimmten Punkt deiner Kindheit habe ich dich vernachlässigt, ich habe eine schwere Krankheit gehabt. Wenn ich mich, als ich krank war, weiter um dich gekümmert hätte, wäre es vielleicht noch schlimmer gewesen. Jetzt geht es mir gut«, sagte ich, »wir können darüber reden, diskutieren, von vorn anfangen.« Sie wollte nichts davon wissen. »Jetzt geht es mir schlecht«, sagte sie und weigerte sich zu reden. Sie haßte die heitere Gelassenheit, die ich nach und nach erlangte, tat alles, um sie zu erschüttern, um mich in ihre kleinen alltäglichen Höllen mit hineinzuziehen. Sie hatte beschlossen, daß ihr Seinszustand das Unglücklichsein war. Sie hatte sich in sich selbst verbarrikadiert, damit nichts die Vorstellung, die sie sich von ihrem Leben gemacht hatte, trüben konnte. Mit dem Verstand behauptete sie natürlich, sie wolle glücklich sein, aber in Wirklichkeit – im tiefsten Inneren – hatte sie schon mit sechzehn, siebzehn Jahren mit jeder Möglichkeit der Veränderung abgeschlossen. Während ich mich langsam einer anderen Dimension öffnete, saß sie unbeweglich da, die Hände auf dem Kopf, und wartete darauf, daß die Dinge auf sie herunterfielen. Meine neue Ruhe ärgerte sie, wenn sie das Evangelium auf meinem Nachttisch liegen sah, sagte sie: »Worüber mußt du dich trösten?«

Als Augusto starb, wollte sie nicht einmal zu seinem Begräbnis kommen. Er hatte in den letzten Jahren an einer schweren Form von Arteriosklerose gelitten, wanderte durchs Haus und redete dabei wie ein Kind, und sie konnte ihn nicht ertragen. »Was will dieser Herr?« schrie sie, kaum daß er schlurfend in der Tür eines Zimmers erschien. Als er starb, war sie sechzehn Jahre alt; seit sie vierzehn war, nannte sie ihn nicht mehr Papa. Er ist an einem Novembernachmittag im Krankenhaus gestorben. Sie hatten ihn am Tag vorher wegen einer Herzattacke eingewiesen. Ich war bei ihm im Zimmer, er trug ein weißes, auf dem Rücken zugebundenes Hemd. Nach Meinung der Ärzte war das Schlimmste schon vorüber.

Die Krankenschwester hatte gerade das Abendessen gebracht, da ist er, als hätte er etwas gesehen, plötzlich aufgestanden und hat drei Schritte auf das Fenster zu gemacht. »Ilarias Hände«, hat er mit glanzlosem Blick gesagt, »solche Hände hat sonst niemand in der Familie«, dann hat er sich wieder ins Bett gelegt und ist gestorben. Ich habe zum Fenster hinausgesehen. Ein feiner Regen fiel. Ich strich ihm über den Kopf.

Siebzehn Jahre lang, ohne je etwas durchsickern zu lassen, hatte er dieses Geheimnis für sich behalten.

Es ist Mittag, die Sonne scheint und der Schnee schmilzt. Auf der Wiese vor dem Haus kommt stellenweise das gelbe Gras durch, von den Ästen der Bäume tropft stetig das Wasser. Es ist seltsam, aber bei Augustos Tod ist mir klargeworden, daß der Tod als solcher, für sich allein, nicht immer die gleiche Art von Schmerz verursacht. Es entsteht eine plötzliche Leere – die Leere ist immer gleich –, aber gerade in dieser Leere nimmt die Verschiedenheit des Schmerzes Gestalt an. Alles, was man nicht gesagt hat, materialisiert sich in diesem Raum und dehnt sich aus, dehnt und dehnt sich immer weiter aus. Es ist eine Leere ohne Türen, ohne Fenster, ohne Auswege, das, was dort in der Schwebe bleibt, bleibt für immer so, ist über dir, mit dir, um dich, hüllt dich ein und verwirrt dich wie dichter Nebel. Die Tatsache, daß Augusto von Ilaria wußte und mir nie etwas gesagt hatte, bekümmerte mich tief. Nun hätte ich gern mit ihm über Ernesto gesprochen, darüber, was er für mich bedeutet hatte, ich hätte gern über Ilaria mit ihm gesprochen, über sehr viele Dinge hätte ich mich gern mit ihm unterhalten, aber es war nicht mehr möglich.

Jetzt kannst du vielleicht verstehen, was ich dir eingangs sagte: Die Toten belasten uns nicht so sehr durch ihre Abwesenheit als vielmehr durch das, was – zwischen uns und ihnen – nicht ausgesprochen wurde.

Wie nach Ernestos Tod suchte ich auch nach Augustos Tod Trost in der Religion. Kurz zuvor hatte ich einen deutschen Jesuitenpater kennengelernt, der nur wenige

Jahre älter war als ich. Als er meine Abneigung gegen Gottesdienste bemerkte, schlug er mir nach ein paar Treffen vor, uns an einem anderen Ort als der Kirche zu treffen.

Da wir beide gern wanderten, beschlossen wir, zusammen zu gehen. Er holte mich jeden Mittwochnachmittag mit Bergschuhen und einem alten Rucksack ab, sein Gesicht gefiel mir sehr, es hatte den hageren, ernsten Ausdruck eines Mannes, der in den Bergen aufgewachsen ist. Daß er ein Priester war, schüchterte mich am Anfang ein, alles, was ich ihm erzählte, erzählte ich nur halb, ich befürchtete, Anstoß zu erregen, verurteilt, unbarmherzig verdammt zu werden. Dann eines Tages, während wir uns auf einem Stein sitzend ausruhten, sagte er zu mir: »Sie schaden sich selbst, wissen Sie. Nur sich selbst.« Von dem Augenblick an hörte ich zu lügen auf, ich öffnete ihm mein Herz, wie ich es nach Ernestos Tod niemandem gegenüber mehr getan hatte. Während ich sprach, vergaß ich sehr bald, daß ich einen Mann der Kirche vor mir hatte. Im Gegensatz zu den anderen Priestern, denen ich begegnet war, kannte er weder Worte der Verurteilung noch des Trostes, das ganze süßliche Gerede der abgegriffensten Botschaften war ihm fremd. Es war eine Art Härte in ihm, die auf den ersten Blick abstoßend erscheinen konnte. »Nur der Schmerz läßt einen wachsen«, sagte er, »aber man muß sich ihm stellen, wer ausweicht oder sich bemitleidet, ist dazu bestimmt zu verlieren.«

Siegen, verlieren, die kriegerischen Ausdrücke, die er verwendete, dienten dazu, einen stummen, rein inneren Kampf zu beschreiben. Seiner Meinung nach war das

Herz des Menschen wie die Erde, halb von der Sonne beschienen und halb im Schatten. Nicht einmal die Heiligen waren ganz im Licht. »Einfach, weil es den Körper gibt«, sagte er, »sind wir auf jeden Fall im Schatten, wir sind wie die Frösche, Amphibien, ein Teil von uns lebt hier unten in der Niederung und den anderen zieht es nach oben. Zu leben bedeutet nur, sich dessen bewußt zu sein, es zu wissen und darum zu kämpfen, daß das Licht nicht gänzlich vom Schatten geschluckt wird. Mißtrauen Sie denen, die vollkommen sind«, sagte er zu mir, »denen, die die Lösungen schon fertig in der Tasche haben, mißtrauen Sie allem außer dem, was Ihr Herz Ihnen sagt.« Ich hörte ihm fasziniert zu, noch nie war ich jemandem begegnet, der so gut ausdrückte, was schon seit geraumer Zeit in mir brodelte, ohne heraus zu können. Mit seinen Worten nahmen meine Gedanken Gestalt an, auf einmal lag ein Weg vor mir, ihn zu gehen schien mir nicht mehr unmöglich.

Ab und zu hatte er in seinem Rucksack ein Buch dabei, das ihm besonders teuer war; wenn wir uns ausruhten, las er mir mit seiner klaren, strengen Stimme daraus vor. Zusammen mit ihm habe ich die Gebete der russischen Mönche entdeckt, das Gebet des Herzens, habe die Stellen des Evangeliums und der Bibel verstanden, die mir vorher dunkel erschienen. In all den Jahren, die seit Ernestos Tod vergangen waren, hatte ich zwar innerliche Fortschritte gemacht, aber diese Fortschritte beschränkten sich auf die Kenntnis meiner selbst. Irgendwann war ich auf meinem Weg vor einer Mauer gestanden, ich wußte, daß der Weg jenseits der Mauer lichter und breiter weiterging, aber ich wußte nicht, wie ich hinüberkommen sollte. Eines Tages, während eines plötzlichen Regenschauers, stellten wir uns im Eingang einer Höhle unter. »Wie macht man es, zum Glauben zu gelangen?« fragte ich ihn dort drinnen. »Das macht man nicht, der Glaube kommt von selbst. Sie haben ihn schon, aber Ihr Stolz hindert Sie daran, es zuzugeben. Sie stellen sich zu viele Fragen, wo es einfach ist, machen Sie es kompliziert. In Wirklichkeit haben Sie nur furchtbare Angst. Lassen Sie sich gehen, und was kommen soll, wird kommen.«

Ich kehrte immer verwirrter, immer verunsicherter von jenen Wanderungen heim. Er war unangenehm, ich sagte es dir schon, seine Worte verletzten mich. Sehr oft spürte ich den Wunsch, ihn nicht mehr zu sehen, am Dienstagabend sagte ich mir, jetzt rufe ich ihn an und sage ihm, er soll nicht kommen, weil es mir nicht gutgeht, aber dann rief ich ihn doch nicht an. Am Mittwochnachmittag erwartete ich ihn pünktlich an der Tür mit Wanderschuhen und Rucksack.

Etwas mehr als ein Jahr lang unternahmen wir unsere Wanderungen, dann wurde er von seinen Vorgesetzten von einem Tag auf den anderen seines Amtes enthoben.

Was ich dir gesagt habe, mag dich vielleicht veranlassen zu denken, Pater Thomas sei ein überheblicher Mann, aus seinen Worten, seiner Weltanschauung spreche Heftigkeit oder Fanatismus. Doch dem war nicht so, innerlich war er der gelassenste und gütigste Mensch, dem ich je begegnet bin, er war kein Soldat Gottes. Wenn etwas Mystisches an seiner Persönlichkeit war, so war es eine ganz konkrete, in den Dingen des Alltags verankerte Mystik.

»Wir sind hier, jetzt«, sagte er immer wieder zu mir.

An der Tür gab er mir einen Umschlag. Darin war eine Ansichtskarte, auf der eine Landschaft mit Gebirgsweiden zu sehen war. »Das Reich Gottes ist in euch«, stand auf deutsch darüber, und auf die Rückseite hatte er mit der Hand geschrieben: »Wenn Sie unter der Eiche sitzen, seien Sie nicht Sie selbst, sondern die Eiche, seien Sie im Wald der Wald, auf der Wiese die Wiese, unter den Menschen mit den Menschen.«

Das Reich Gottes ist in euch, erinnerst du dich noch? Dieser Satz hatte mich schon beeindruckt, als ich als unglückliche Jungverheiratete in Aquila lebte. Wenn ich damals die Augen schloß und den Blick nach innen gleiten ließ, konnte ich nichts sehen. Nach der Begegnung mit Pater Thomas hatte sich etwas verändert, ich sah zwar immer noch nichts, aber es war keine vollkommene Blindheit mehr, am Ende der Dunkelheit begann es heller zu werden, ab und zu gelang es mir ganz kurz, mich selbst zu vergessen. Es war nur ein kleines, schwaches Licht, kaum ein Flämmchen, ein Hauch hätte genügt, um es auszulöschen. Dennoch gab mir die Tatsache, daß es da war, eine seltsame Leichtigkeit; es war nicht Glück, was ich empfand, sondern Freude. Es war auch keine Euphorie dabei, keine Begeisterung, ich fühlte mich nicht weiser, über den Dingen. Was da in mir heranwuchs, war nur ein heiteres Bewußtsein zu existieren.

Wiese auf der Wiese, Eiche unter der Eiche, Mensch unter den Menschen.

Mit Buck vorneweg bin ich heute morgen auf den Dachboden gegangen. Wie viele Jahre hatte ich diese Tür nicht mehr geöffnet! Überall lag Staub, und große Weberknechte hingen in den Ecken der Dachbalken. Während ich Schachteln und Kartons hin und her schob, entdeckte ich mehrere Nester von Siebenschläfern, sie schliefen so fest, daß sie nichts merkten. Als Kind geht man gern auf den Dachboden, als alter Mensch weniger. Alles, was damals geheimnisvolle, abenteuerliche Entdeckung war, wird zu schmerzvoller Erinnerung.

Ich suchte die Weihnachtskrippe und mußte mehrere Schachteln und die beiden größten Truhen öffnen, bis ich sie fand. Ilarias Lieblingspuppe fiel mir in die Hände, in Zeitungen und Lumpen gehüllt, ihre Kinderspielsachen.

Weiter unten, glänzend und bestens erhalten, lagen Augustos Insekten, sein Vergrößerungsglas, die ganze Ausstattung, die er zum Sammeln benutzte. In einer Bonbonschachtel daneben waren, mit einem roten Bändchen zusammengebunden, die Briefe von Ernesto. Von dir gab es nichts, du bist jung, lebendig, der Dachboden ist noch nicht dein Ort.

Als ich die Tüten öffnete, die in einer der Truhen lagen, fand ich auch die wenigen Dinge aus meiner eigenen Kindheit, die aus dem eingestürzten Haus gerettet worden waren. Sie waren angesengt, verkohlt, ich habe sie herausgenommen, als wären es Reliquien. Es handelte sich zumeist um Küchengerät: eine Emailschüssel, eine Zuckerdose aus weißblauer Keramik, ein wenig Besteck, eine Kuchenform und ganz unten die losen Seiten eines Buches, das keinen Einband mehr hatte. Welches Buch war das? Ich konnte mich nicht mehr erinnern. Erst, als ich es vorsichtig in die Hand genommen und begonnen habe, die ersten Zeilen zu überfliegen, ist mir alles wieder eingefallen. Ich war ganz aufgeregt: Es war nicht irgendein Buch, sondern dasjenige, das ich als Kind am meisten geliebt, das, was mich am meisten zum Träumen angeregt hatte. Es hieß *Die Wunder des Jahres Zweitausend* und war, auf seine Weise, ein Science-fiction-Roman. Die Geschichte war eher einfach, aber voller Phantasie. Um zu erfahren, ob sich die wunderbaren Versprechungen des Fortschritts bewahrheiten würden, hatten sich zwei Wissenschaftler vom Ende des 19. Jahrhunderts bis zum Jahr Zweitausend einfrieren lassen. Nach genau einem Jahrhundert hatte der Enkel eines ihrer Kollegen, ebenfalls ein Wissenschaftler, sie aufgetaut und sie auf einer kleinen fliegenden Plattform auf eine Erkundungsreise um die Welt mitgenommen. In dieser Geschichte kamen keine Außerirdischen und keine Raumschiffe vor, alles, was geschah, handelte nur vom Schicksal des Menschen, davon, was er selbst aufgebaut hatte. Und wollte man dem Autor glauben, hatte der Mensch lauter Wundertaten vollbracht. Es gab weder Hunger noch Armut mehr auf der Welt, denn die Wissenschaft hatte zusammen mit der Technologie eine Möglichkeit gefunden, jeden Winkel des Planeten fruchtbar zu machen, und sie hatte – was noch wichtiger war – erreicht, daß die Erträge dieser Fruchtbarkeit auf gerechte Weise unter allen Bewohnern aufgeteilt wurden. Viele Maschinen nahmen den Menschen die schwere Arbeit ab, alle hatten viel freie Zeit, und so konnte jeder Mensch die erhabensten Seiten seines Selbst entwickeln, in allen Teilen der Erde erklang Musik, wurden Verse rezitiert, wurden ruhige, gelehrte philosophische Gespräche geführt. Als genügte das nicht, konnte man auch dank der fliegenden Plattform in weniger als einer Stunde von einem Kontinent zum anderen gelangen. Die beiden alten Wissenschaftler schienen sehr zufrieden zu sein: Alles, was sie in ihrem positiven Glauben als Hypothese aufgestellt hatten, war eingetroffen. Während ich das Buch durchblätterte, fand ich auch mein Lieblingsbild wieder: das, auf dem sich die beiden beleibten Gelehrten mit darwinschem Bart und karierter Weste frohlockend über den Rand der Plattform beugen, um hinunterzusehen.

Um jeden Zweifel auszuräumen, hatte einer der beiden gewagt, die Frage zu stellen, die ihm am meisten am Herzen lag: »Und die Anarchisten«, hatte er gefragt, »die Revolutionäre, gibt es die noch?«

»Oh, natürlich gibt es die noch«, hatte ihr Führer lächelnd geantwortet. »Sie leben in ihren eigenen Städten, die extra unter dem Eis der Pole errichtet wurden, so könnten sie, falls es ihnen zufällig einfallen sollte, den anderen nichts anhaben.«

»Und die Heere«, fragte daraufhin der andere nach, »wieso sieht man nicht einen einzigen Soldaten?«

»Heere gibt es keine mehr«, antwortete der junge Mann.

An diesem Punkt atmeten die beiden erleichtert auf: Endlich war der Mensch zu seiner ursprünglichen Güte zurückgekehrt! Es war jedoch eine Erleichterung von kurzer Dauer, denn sogleich sagte ihr Führer zu ihnen: »Oh nein, das ist nicht der Grund. Der Mensch hat nicht die Zerstörungslust verloren, er hat nur gelernt, sich zu beherrschen. Soldaten, Kanonen, Bajonette sind überholte Kampfmittel. An ihrer Stelle gibt es nun ein kleines, aber überaus mächtiges Gerät, nur dem ist es zu verdanken, daß es keine Kriege mehr gibt. Es genügt nämlich, auf einen Berg zu steigen und es von oben herunterfallen zu lassen, um die ganze Welt in einen Regen aus Bröseln und Splittern zu verwandeln.«

Die Anarchisten! Die Revolutionäre! Wie viele Alpträume meiner Kindheit in diesen beiden Wörtern! Für dich ist es vielleicht etwas schwierig, das zu verstehen, aber du mußt bedenken, daß ich gerade sieben Jahre alt war, als die Oktoberrevolution ausbrach. Ich hörte die Großen schreckliche Dinge flüstern, eine Schulkameradin hatte mir gesagt, daß die Kosaken in Kürze bis nach Rom zum Petersdom vordringen und ihre Pferde an den geweihten Brunnen tränken würden. Der Schrecken, naturgemäß im Geist der Kinder vorhanden, hatte sich in dieses Bild gekleidet: Nachts, beim Einschlafen, hörte ich das Trampeln von Hufen, die den Balkan herunterrasten.

Wer hätte sich vorstellen können, daß die Schrecken, die ich zu sehen bekam, ganz anders, sehr viel erschütternder sein würden als der Anblick von Pferden, die durch die Straßen Roms galoppierten! Als ich als Kind dieses Buch las, rechnete ich lange, um herauszufinden, ob es mir in meinem Alter gelingen würde, das Jahr Zweitausend zu erleben. Neunzig Jahre schien mir ein recht hohes, aber kein unerreichbares Alter zu sein. Diese Vorstellung berauschte mich, gab mir ein Gefühl der Überlegenheit all denen gegenüber, die das Jahr Zweitausend nicht mehr erreichen würden.

Jetzt, da es fast soweit ist, weiß ich, daß ich es nicht mehr erleben werde. Ob ich es bedauere, mich danach sehne? Nein, ich bin nur sehr müde, von all den angekündigten Wundern habe ich nur eins wahr werden sehen: die winzige allmächtige Bombe. Ich weiß nicht, ob alle in den letzten Tagen ihrer Existenz es empfinden, dieses plötzliche Gefühl, zu lange gelebt, zu viel gesehen, zu viel gehört zu haben. Ich weiß nicht, ob es dem Steinzeitmenschen auch so ging wie uns jetzt oder nicht. Im Grunde kommt es mir, wenn ich an das Jahrhundert denke, das ich fast ganz durchlebt habe, so vor, als habe die Zeit irgendwie eine Beschleunigung erfahren. Ein Tag ist immer noch ein Tag, die Nacht ist immer noch lang im Vergleich zum Tag, der Tag ist lang im Vergleich zu den Jahreszeiten. Es ist jetzt noch genauso wie damals in der Steinzeit. Die Sonne geht auf und wieder unter. Astronomisch ist der Unterschied minimal, falls es überhaupt einen gibt.

Dennoch habe ich den Eindruck, alles habe sich beschleunigt. Die Geschichte läßt viele Dinge geschehen, bombardiert uns mit immer anderen Ereignissen. Am Ende jedes Tages fühlt man sich müder; am Ende eines Lebens erschöpft. Denk nur an die Oktoberrevolution, den Kommunismus! Ich habe ihn heraufziehen sehen, habe wegen der Bolschewiken nachts nicht geschlafen; ich habe gesehen, wie er sich in den Ländern ausbreitete und die Welt in zwei große Lager teilte, hier das Weiße, dort das

Schwarze – Weiß und Schwarz in ständigem Kampf miteinander: Wegen dieses Kampfes hielten wir alle den Atem an: Da war die Bombe, sie war schon einmal gefallen, aber sie konnte in jedem Augenblick wieder geworfen werden. Dann, plötzlich, stelle ich an einem Tag wie jedem anderen den Fernseher an und sehe, daß es das alles nicht mehr gibt, daß Mauern, Zäune, Denkmäler fallen: In weniger als einem Monat ist die große Utopie des Jahrhunderts ein Dinosaurier geworden. Sie ist einbalsamiert, liegt nun ganz harmlos in ihrer Unbeweglichkeit mitten in einem Saal, und alle gehen daran vorbei und sagen, wie groß sie war, oh, wie schrecklich sie war!

Ich sage Kommunismus, aber ich hätte auch alles mögliche andere sagen können, so viele Dinge sind an meinen Augen vorbeigezogen, und keines von diesen vielen ist geblieben. Verstehst du jetzt, warum ich sage, die Zeit habe sich beschleunigt? Was konnte in der Steinzeit im Laufe eines Lebens schon geschehen? Die Jahreszeit des Regens, die der Schneefälle, die Jahreszeit, in der die Sonne schien und die Heuschrecken einfielen, hier und da ein blutiges Handgemenge mit unangenehmen Nachbarn, vielleicht noch der Aufprall eines kleinen Meteoriten, durch den sich ein rauchender Krater bildete. Außer dem eigenen Feld, außer dem Fluß gab es sonst nichts; da man nichts von der Ausdehnung der Welt wußte, verstrich die Zeit zwangsläufig langsamer.

»Mögest du in interessanten Jahren leben«, sagen die Chinesen angeblich zueinander. Ein wohlmeinender Glückwunsch? Ich glaube kaum, mehr denn ein Glückwunsch scheint es mir ein Fluch zu sein. Die interessanten

Jahre sind die unruhigsten, die, in denen viele Dinge geschehen. Ich habe in sehr interessanten Jahren gelebt, aber die, in denen du leben wirst, werden vielleicht noch interessanter sein. Auch wenn es nur ein von den Astronomen festgelegtes Datum ist, die Jahrtausendwende scheint immer große Erschütterungen mit sich zu bringen.

Am 1. Januar des Jahres Zweitausend werden die Vögel auf den Bäumen um die gleiche Zeit erwachen wie am 31. Dezember 1999, sie werden genauso singen und, wenn sie damit fertig sind, wie am Tag zuvor auf Futtersuche gehen. Für die Menschen dagegen wird alles anders sein. Vielleicht werden sie sich – wenn die vorausgesehene Strafe nicht eintrifft – voll guten Willens dem Aufbau einer besseren Welt widmen. Wird es so sein? Vielleicht, aber vielleicht auch nicht. Die Hinweise, die ich bisher sehen konnte, sind unterschiedlich und stehen alle im Widerspruch zueinander. An einem Tag kommt es mir vor, als wäre der Mensch nur ein großer, seinen Trieben ausgelieferter Affe, der leider in der Lage ist, hochkomplizierte und sehr gefährliche Maschinen zu bedienen; am nächsten Tag dagegen habe ich den Eindruck, daß das Schlimmste schon vorbei ist und der menschliche Geist schon beginnt, seine bessere Seite hervorzukehren. Welche Hypothese wird sich bewahrheiten? Wer weiß, vielleicht keine von beiden, vielleicht wird der Himmel wirklich in der ersten Nacht des Jahres Zweitausend, um den Menschen zu bestrafen für seine Dummheit, für die Torheit, mit der er seine Möglichkeiten vergeudet hat, einen schrecklichen Feuerregen mit Lavabrocken auf die Erde niedergehen lassen.

Im Jahr Zweitausend wirst du gerade vierundzwanzig Jahre alt sein und all dies sehen, ich dagegen werde schon nicht mehr da sein und meine unbefriedigte Neugier ins Grab mitgenommen haben. Wirst du darauf vorbereitet sein, wirst du fähig sein, in der neuen Zeit zu bestehen? Wenn in diesem Augenblick eine kleine Fee vom Himmel herabschwebte und mir erlaubte, drei Wünsche auszusprechen, weißt du, worum ich sie dann bitten würde? Ich würde sie bitten, mich in einen Siebenschläfer zu verwandeln, in eine Meise, in eine Hausspinne, in irgend etwas, das ungesehen neben dir lebt. Ich weiß nicht, wie deine Zukunft aussehen wird, ich kann es mir nicht vorstellen; da ich dich gern habe, leide ich sehr darunter, es nicht zu wissen. Die wenigen Male, die wir darüber gesprochen haben, sahst du sie gar nicht rosig: Mit der Absolutheit einer Heranwachsenden warst du überzeugt, daß das Unglück, das dich damals verfolgte, dich für immer verfolgen würde. Ich bin vom Gegenteil überzeugt. Warum nur, wirst du dich fragen, komme ich auf diesen verrückten Gedanken? Durch Buck, mein Schatz, immer nur durch Buck. Denn als du ihn im Tierheim ausgewählt hast, glaubtest du, nur einen Hund unter anderen Hunden ausgewählt zu haben. In Wirklichkeit hast du damals in den drei Tagen innerlich eine viel größere, viel entscheidendere Schlacht geschlagen: Es ging ja darum, zwischen dem äußeren Schein und der Stimme des Herzens zu wählen, und du hast dich ohne den geringsten Zweifel, ohne die geringste Unentschlossenheit für die Stimme des Herzens entschieden.

Ich hätte in deinem Alter sehr wahrscheinlich einen

vornehmen Hund ausgesucht, den edelsten, den mit dem weichsten Fell, einen Hund, den man ausführen konnte, um beneidet zu werden. Meine Unsicherheit, die Umgebung, in der ich aufgewachsen war, hatten mich schon der Tyrannei der Äußerlichkeit ausgeliefert.

Nach der ganzen langen Stöberei gestern auf dem Dachboden habe ich schließlich nur die Krippe mit heruntergebracht und die Kuchenform, die den Brand überlebt hat. Die Krippe mag ja angehen, wirst du sagen, wir haben bald Weihnachten, aber was hat die Kuchenform damit zu tun? Diese Kuchenform gehörte meiner Großmutter, also deiner Urahnin, und ist der einzige Gegenstand, der von der Geschichte der Frauen in unserer Familie noch übrig ist. Durch das lange Herumliegen auf dem Dachboden ist sie stark gerostet, ich habe sie gleich in die Küche gebracht und versucht, sie mit der guten Hand im Ausguß wieder blank zu scheuern. Denk nur, wie oft sie im Lauf ihrer Existenz in den Backofen und wieder heraus kam, wie viele verschiedene, immer modernere Backöfen sie gesehen hat, wie viele verschiedene und doch ähnliche Hände sie mit Teig gefüllt haben. Ich habe sie mit heruntergebracht, damit sie noch weiter lebt, damit du sie benutzt und sie vielleicht deinerseits wieder deinen Töchtern vererbst, damit diese Kuchenform in ihrer Geschichte als einfaches Gerät die Geschichte unserer Generationen zusammenfaßt und bewahrt.

Kaum sah ich sie unten in der Truhe liegen, ist mir das letzte Mal eingefallen, als es uns zusammen gutging. Wann war das? Vor einem Jahr, vielleicht vor etwas mehr als einem Jahr. Am frühen Nachmittag warst du ohne anzuklopfen in mein Zimmer gekommen, ich lag, die Hände über der Brust gekreuzt, auf dem Bett und ruhte mich aus, und du warst bei meinem Anblick rückhaltlos in Tränen ausgebrochen. Dein Schluchzen weckte mich. »Was ist los?« fragte ich dich, indem ich mich aufsetzte. »Was ist denn passiert?« – »Du wirst bald sterben, das ist passiert«, gabst du mir zur Antwort und weintest noch heftiger. »O Gott, so bald dann hoffentlich auch wieder nicht«, sagte ich lachend und fügte hinzu: »Weißt du was? Ich bringe dir jetzt etwas bei, was ich kann und du nicht, und wenn ich dann nicht mehr da bin, tust du es und erinnerst dich dabei an mich.« Ich stand auf, und du bist mir um den Hals gefallen. »Also«, habe ich gesagt, um die Rührung zu verscheuchen, die mich schon ansteckte, »was soll ich dir beibringen?« Während du dir die Tränen trocknetest, hast du eine Weile darüber nachgedacht und schließlich gesagt: »Kuchen backen.« Daraufhin sind wir in die Küche gegangen, und es begann ein langer Kampf. Vor allem anderen wolltest du dir die Schürze nicht umbinden. »Wenn ich mir die Schürze anziehe«, sagtest du, »werde ich später auch noch mit Lockenwicklern und Pantoffeln herumlaufen müssen, was für ein Graus!« Dann, als du das Eiweiß zu Schnee schlagen solltest, tat dir das Handgelenk weh, du wurdest ärgerlich, weil die Butter sich nicht mit dem Eigelb vermischte, weil der Backofen nie heiß genug war. Beim Ablecken des Kochlöffels, mit dem ich die Schokolade flüssig gerührt hatte, ist meine Nase braun geworden. Als du es gesehen hast, hast du zu lachen angefangen. »In deinem Alter«, hast du gesagt, »schämst du dich nicht? Deine Nase ist braun wie eine Hundeschnauze!«

Um diesen einfachen Kuchen zu backen, haben wir den

ganzen Nachmittag gebraucht und die Küche in einen erbarmungswürdigen Zustand versetzt. Plötzlich waren wir heiter und fröhlich, weil wir gemeinsam etwas vollbracht hatten. Erst als der Kuchen endlich in den Backofen kam und du zusahst, wie er ganz langsam hinter dem Glas braun wurde, ist dir wieder eingefallen, warum wir ihn gebacken hatten, und du hast wieder zu weinen angefangen. Ich versuchte, dich vor dem Backofen zu trösten. »Wein doch nicht«, sagte ich, »es stimmt, daß ich vor dir sterben werde, aber wenn ich nicht mehr da bin, werde ich trotzdem noch da sein, ich werde in deinem Gedächtnis lebendig sein mit schönen Erinnerungen: Du wirst die Bäume sehen, den Gemüsegarten, die Blumenbeete, und dabei werden dir all die glücklichen Augenblicke einfallen, die wir zusammen verbracht haben. Genauso wird es dir gehen, wenn du dich in meinen Sessel setzt, wenn du den Kuchen bäckst, den ich dir heute gezeigt habe, und dann wirst du mich mit braun verschmierter Nase vor dir sehen.«

Heute bin ich nach dem Frühstück ins Wohnzimmer gegangen und habe begonnen, die Weihnachtskrippe am gewohnten Platz über dem Kamin aufzubauen. Zuerst habe ich das grüne Papier ausgebreitet, dann die trockenen kleinen Moospolster darauf gelegt, die Palmen, den Stall mit dem heiligen Josef und der Muttergottes und Ochs und Esel darin aufgestellt, und rundherum die Hirten, die Frauen mit den Gänsen, die Musikanten, die Schweine, die Fischer, die Hähne und Hühner, die Schafe und die Geißböcke verteilt. Mit Tesafilm habe ich über der Landschaft das blaue Himmelspapier befestigt; den Kometen habe ich in die rechte, die Heiligen Drei Könige in die linke Tasche meines Morgenrocks gesteckt; dann bin ich auf die andere Seite des Zimmers gegangen und habe den Stern an die Anrichte gehängt; darunter, etwas weiter weg, habe ich in einer Reihe die Heiligen Drei Könige mit ihren Kamelen aufgestellt.

Weißt du noch? Als du klein warst, konntest du es wegen des Zwangs zur Folgerichtigkeit, der die Kinder auszeichnet, nicht ertragen, daß der Stern und die Heiligen Drei Könige gleich von Anfang an bei der Krippe standen. Sie mußten weit entfernt sein und langsam vorrücken, der Stern vorneweg und die drei Könige knapp hinterher. Genausowenig konntest du es ertragen, daß das Jesuskind schon vor der Zeit in der Krippe lag, also ließen wir es am vierundzwanzigsten Punkt Mitternacht vom Himmel in den Stall herunterschweben. Während ich die Schafe auf ihrem kleinen grünen Teppich aufstellte, fiel mir noch etwas anderes ein, was du gern mit der Krippe machtest, ein Spiel, das du selbst erfunden hattest und das zu wiederholen du nie müde wurdest. Ich glaube, am Anfang hast du dabei an Ostern gedacht. Ich hatte die Gewohnheit, an Ostern bunt bemalte Eier für dich im Garten zu verstecken. An Weihnachten verstecktest du anstatt der Eier die Schäfchen; wenn ich gerade nicht hinsah, nahmst du eins aus der Herde und verstecktest es an den unerwartetsten Orten, dann kamst du zu mir und fingst mit verzweifelter Stimme zu blöken an. Dann ging die Suche los, ich ließ alles stehen und liegen und ging, dich lachend und blökend hinter mir, durchs Haus und sagte: »Wo bist du, verlorenes Schäfchen? Gib mir ein Zeichen, damit ich dich in Sicherheit bringe.«

Und wo bist du jetzt, mein Schäfchen? Du bist dort drüben, während ich schreibe, bei den Kojoten und den Kakteen. Wenn du dies liest, wirst du mit aller Wahrscheinlichkeit wieder hier sein, und meine Sachen werden schon auf dem Dachboden liegen. Werden meine Worte dir Geborgenheit geben? Nein, so eingebildet bin ich nicht, sie werden dich vielleicht nur geärgert haben, werden die schon sehr schlechte Meinung bestätigt haben, die du vor deiner Abreise von mir hattest. Vielleicht wirst du mich erst verstehen können, wenn du größer bist, wenn du den geheimnisvollen Weg gegangen bist, der von der Unversöhnlichkeit zur Barmherzigkeit führt.

Barmherzigkeit, gib acht, nicht Mitleid. Wenn du Mitleid empfindest, werde ich wie diese bösen kleinen Geister über dich kommen und dir einen Haufen Streiche spielen. Dasselbe werde ich auch tun, wenn du nicht demütig, sondern bescheiden sein wirst, wenn du dich an leerem Geschwätz berauschen wirst anstatt zu schweigen. Glühlampen werden explodieren, die Teller werden aus den Regalen fliegen, die Unterhosen werden plötzlich am Kronleuchter hängen, von Tagesanbruch bis spät in die Nacht werde ich dich keinen Augenblick in Ruhe lassen.

Natürlich ist das alles nicht wahr, ich werde nichts tun. Wenn ich irgendwo sein werde, wenn es mir möglich sein wird, dich zu sehen, werde ich nur traurig sein, so wie ich jedesmal traurig bin, wenn ich ein vergeudetes Leben sehe, ein Leben, in dem der Weg der Liebe sich nicht durchsetzen konnte. Gib auf dich acht. Jedesmal, wenn du, wachsend, Lust haben wirst, die falschen Dinge in richtige Dinge zu verwandeln, erinnere dich daran, daß die erste Revolution, die man machen muß, die im eigenen Inneren ist, das ist die erste und wichtigste. Für eine Idee zu kämpfen, ohne eine Idee von sich selbst zu haben, ist mit das gefährlichste, was man tun kann.

Jedesmal, wenn du dich verloren fühlst, verwirrt, denk an die Bäume, an ihre Art zu wachsen. Denk daran, daß ein Baum mit einer großen Krone und wenig Wurzeln beim ersten Windstoß umgerissen wird, während bei einem Baum mit vielen Wurzeln und kleiner Krone die Säfte nicht richtig fließen. Wurzeln und Krone müssen gleichermaßen wachsen, du mußt in den Dingen und über den Dingen sein, nur so wirst du Schatten und Schutz bieten können, nur so wirst du zur rechten Jahreszeit blühen und Früchte tragen können.

Und wenn sich dann viele verschiedene Wege vor dir auftun werden, und du nicht weißt, welchen du einschlagen sollst, dann überlasse es nicht dem Zufall, sondern setz dich und warte. Atme so tief und vertrauensvoll, wie du an dem Tag geatmet hast, als du auf die Welt kamst, laß dich von nichts ablenken, warte, warte noch. Lausche still und schweigend auf dein Herz. Wenn es dann zu dir spricht, steh auf und geh, wohin es dich trägt.

Susanna Tamaro
im Diogenes Verlag

»Die 1957 in Triest geborene italienische Autorin Susanna Tamaro, Großnichte Italo Svevos, ist eine hinreißende Fabuliererin mit frischer Phantasie, Poesie und Witz.« *Süddeutsche Zeitung, München*

»Dieser aufrichtige und klare Stil; diese Fähigkeit, das Leid der Schwachen und Schutzlosen zu zeichnen – sie hat es vermocht, mich zu rühren, ohne mich zu beschämen, nicht anders als es mir bei der Lektüre von *Oliver Twist* ergangen war oder bei bestimmten Seiten aus Kafkas *Amerika*.« *Federico Fellini*

»Eine der lebendigsten und schmerzlichsten Stimmen der jungen italienischen erzählenden Literatur. Transparent wie Kristall. Und stark. Und zart.« *Grazia, Mailand*

Love
Fünf Erzählungen
Aus dem Italienischen von Maja Pflug

Der kugelrunde Roberto
Deutsch von Maja Pflug

Geh, wohin dein Herz dich trägt
Roman. Deutsch von Maja Pflug

Kopf in den Wolken
Roman. Deutsch von Ulrich Hartmann

Eine Kindheit
Erzählung. Deutsch von Maja Pflug

Der Zauberkreis
Ein Märchen für große und kleine Kinder.
Mit Bildern von Tony Ross. Deutsch von Ulrich Hartmann

Anima mundi
Roman. Deutsch von Maja Pflug

Die Demut des Blicks
Wie ich zum Schreiben kam. Zwei Essays und ein Gespräch
mit Paola Gaglianone. Deutsch von Maja Pflug

Viktorija Tokarjewa
im Diogenes Verlag

Viktorija Tokarjewa, 1937 in Leningrad geboren, studierte nach kurzer Zeit als Musikpädagogin an der
Moskauer Filmhochschule das Drehbuchfach. 15 Fil-
me sind nach ihren Drehbüchern entstanden. 1964
veröffentlichte sie ihre erste Erzählung und widmete
sich ab da ganz der Literatur. Sie lebt heute in Moskau.

»Ihre Geschichten sind seit jeher von großer Anmut,
allesamt Kunst-Stückchen, die einem die Vorstellung von Leichthändigkeit suggerieren. Nicht jedoch
von Leichtgewichtigkeit. Wenn sie uns ein Schmun-
zeln entlocken, dann liegt das daran, daß Viktorija Tokarjewa über einen ausgeprägten Humor verfügt und
diese Gabe durchweg einsetzt. Es ist kein Humor der
satirischen Art, eher eine sanfte Ironie, gewürzt mit
einer Prise Traurigkeit und einem vollen Maß an mit-
menschlichem Erbarmen.«
Frankfurter Allgemeine Zeitung

»Viktorija Tokarjewa erzählt ihre Liebesgeschichten
mit einem solchen Witz und einer solchen Lebendig-
keit, daß ich ganz entzückt davon bin.«
Elke Heidenreich

Zickzack der Liebe
Erzählungen. Aus dem Russischen
von Monika Tantzscher

Mara
Erzählung
Deutsch von Angelika Schneider

Happy-End
Erzählung
Deutsch von Angelika Schneider

Lebenskünstler
und andere Erzählungen. Deutsch
von Ingrid Gloede

Sag ich's oder sag ich's nicht?
Erzählungen. Deutsch von Angelika
Schneider, Monika Tantzscher und
Elsbeth Wolffheim

Sentimentale Reise
Erzählungen. Deutsch von Angelika
Schneider

Die Diva
Zehn Geschichten über die Liebe.
Deutsch von Angelika Schneider, Mo-
nika Tantzscher und Susanne Veselov

Der Pianist
Erzählungen. Deutsch von Angelika
Schneider